7天学会
家常主食

夏金龙◎主编

吉林出版集团　吉林科学技术出版社

作者简介 AUTHOR

夏金龙 中国烹饪大师,中国餐饮文化名师,国家高级烹饪技师,中国十大最有发展潜力青年厨师,全国餐饮业国家级评委,法国国际美食会大中华区荣誉主席,吉林省吉菜研究专业委员会会长,2009年被中国国际交流促进会授予"中国烹坛领军人物奖"和"餐饮业卓越管理奖"称号。2010年8月22日由中国烹饪协会名厨专业委员派遣并代表中国名厨参加世界各国现任"总统御厨第33届年会"。曾编著烹饪书籍《中国新吉菜》《CCTV天天饮食系列》《家常面点》《快手套餐系列》《中国味道系列》《蘑菇主厨系列》《好学易做1000样系列》《57道有滋有味汤系列》《炒饭盖饭》《健康饮品》《大厨拿手家常菜系列》等图书80余种。现任吉林省人力资源和社会保障厅培训鉴定基地副总经理兼餐饮总监。

主 编	夏金龙					
编 委	高树亮	刘启镇	刘 伟	韩光绪	曲晓明	曹清春	郭建武
	贾艳华	李 野	李国安	刘 刚	刘云峰	张艳峰	于艳庆
	姜喜丰	班兆金	李成国	孙学富	金凤菊	刘占龙	李 娜
	张明亮	蒋志进	张 杰	刘凤义	刘志刚	郎树义	
摄 影	杨跃祥	王大龙	万晓杰	王雨香	王珂昭	谭 静	任 弘
	刘书岑						

◆ 感谢长春市金管家餐饮管理有限公司、大成策划(0431-88666626)对本书给予的大力支持。

　　家常菜是我们日常饮食中的一个重要组成部分，它与我们的生活息息相关。美味可口的家常菜不仅可提供人体日常所需的各种营养，而且对人们的身体健康起着不可估量的作用。

　　民以食为天，造就了家常菜种类的繁多。而对于初学者，需要多长时间才能学会家常菜，是他们最关心的问题。为此，我特意编写了《7天学会家常炒菜》《7天学会家常汤煲》《7天学会家常主食》三本图书。只要您按照本套图书的时间安排，7天就可以轻松学会炒菜、汤煲和主食。

　　本套图书针对烹饪初学者，用通俗易懂的语言、清晰的操作步骤和海量的图片，为您详细讲解家常菜的烹制技法，使您在7天内学会烹调家常菜。

　　首先用2天时间，为您分步介绍新手下厨需要了解和掌握的基础常识，如炒菜、汤煲、主食的常用食材，厨房的常用工具，各种食材的初加工、涨发、切制，以及烹调窍门等，使您在正式烹调家常菜前，就可以通过看图加以了解，增加学习操作的自信心。

　　随后的5天时间，按照食材线索加以分类，并且遵循家常菜简单、实用、经典的原则，选取一些食材易于购买、操作方法简单、被大家熟知的菜肴，详细地加以介绍。

　　您可以运用前2天学到的常识，选取自己喜好的食材、口味等，试着烹调出满意的家常菜。当然，如果您已经是做菜的好手，也可以直接从书中选取感兴趣的菜肴，按照详细的步骤图制作出美味的菜肴。

　　相信掌握了本书介绍的这些烹调技法诀窍，以轻松的心情、常见的食材、快捷的方法，您就能烹调出一道道看似平凡，却大有意味的家常好菜。祝您轻轻松松地享受烹饪带来的乐趣。

2012年4月

目录 Contents

7天学会家常主食

家常主食的熟制方法

家常主食的九大品种

第3天 营养米粥熬出来

第4天 爽滑面条人人爱

第6天 包子饺子最好吃

第7天 特色小吃这样做

第1天
家常主食之基础

家常主食的 原料和配料

主食包含的内容非常广泛，从广义上讲，泛指用各种粮食（大米、小麦、杂粮）、豆类、果品、鱼虾等为皮原料，配以各种馅心（有的不用馅心）制作的各种面食、小吃和点心；从狭义上讲，特指利用面粉、米粉及其他杂粮调成面团制作的面食小吃和各种点心。

主食是构成中国烹饪体系两大组成部分之一，具有悠久的历史，并且在长期的发展中，经过历代厨师的不断实践和广泛交流，创造了品种繁多、口味丰富、形色俱佳的家常主食。

家常主食的原料主要有面粉、大米、米粉等，制作馅料常用蔬菜、畜肉和水产品等，而配料一般包括干果、鲜果和调味料等。

面粉

面粉按加工精度和用途的不同，可分为等级粉和专用粉两大类。等级粉按加工精度不同，分为特制粉、标准粉和普通粉三个等级；专用粉是在等级粉的基础上加入食用增白剂、食用膨松剂、食用香精或其他成分混合均匀而成，如面包粉、面条粉、水饺粉、糕点粉、汤用粉、自发粉等。

大米

大米中含有大量的淀粉，淀粉在体内消化吸收后产生能量，供应人体的生命活动，特别是大脑和神经系统的活动只喜欢使用淀粉水解产生的葡萄糖来供应能量，而不喜欢用脂肪产生的能量。大米中含有人体必需的维生素B_1、维生素B_2、维生素PP，以及钾、磷等矿物质。

米粉

米粉是大米经过加工磨碎而成的粉末状原料，是制作小吃、糕点的主要原料。因米粉所用大米的粒形及粒质不同，所磨成的米粉主要分为籼米粉、粳米粉和糯米粉三种，三种米粉的性质各异，根据点心品种的需要，一般可以单独使用，或相互掺合使用。根据磨制方法的不同，米粉可分干磨粉、湿磨粉、水磨粉三类。

糯米又称江米、元米，为禾本科植物稻的变种糯稻脱壳后的米粒，而用糯米磨制而成的粉末，被称为糯米粉。糯米粉中含有非常丰富的碳水化合物、脂肪、蛋白质、钙、磷、铁和维生素等，因而粘性强，可以制作各种富有特色的粘软的面食，如糯米团子、糯米包等。

糯米粉

大麦

大麦又称饭麦、赤膊麦等，为禾本科植物大麦的果实，主要产于我国西部地区。大麦中富含糖类，约为68%～70%，粗纤维较多，磨成粉后味道不如小麦粉。经常食用大麦，可补虚弱、养五脏、壮血脉和化谷消食。大麦的主要食用方法是煮粥，此外用大麦制成的大麦片有预防动脉硬化和心肌梗死的作用。

红豆又称小豆、红小豆、赤豆等，红豆粒的蛋白质含量为19%～22%，并含有多种维生素和丰富的钙、磷、铁等元素，但营养成分不如大豆，有行水清热、消肿、排脓等药用功效。红豆在面食中主要是制作豆沙和糕点原料，也可作豆饭、豆粥和豆面。

红豆

黄豆又称大豆，在豆类中营养价值非常高，有"豆中之王"的美称，富含蛋白质、脂肪、铁、磷、钙及维生素A、B族维生素、维生素C、维生素P等，有益气养血、健脾宽中、健身宁心、润燥消水之功效。黄豆除榨汁、制酱、制浆、制作豆腐和腐竹外，用黄豆磨制成的粉可制作面点、小吃、糕点等。

黄豆

黑豆又称乌豆、黑大豆、冬豆子等，以前黑豆在我国主要用于牲畜饲料，近年来，由于黑豆所含的营养价值逐渐被人们所了解，现在已日渐被人们所重视。黑豆富含蛋白质、脂肪、碳水化合物等，还有钙、磷、铁、胡萝卜素、维生素B_3等营养物质，经常食用黑豆，有润肌肤、增气色、补脾胃和健脑乌发的功效。

黑豆

绿豆又称青小豆、吉豆、交豆、青豆子等，为一年生草本植物，我国绿豆的主要产区集中在黄河、淮河流域平原的河南、河北、山东、安徽等省。我国的绿豆品种约有200多种，品种资源非常丰富，但一般绿豆商品都按籽的皮色分为青绿、黄绿和墨绿三种类型，其中以青绿色的为最好。

绿豆

黑米又称紫米、墨米等，黑米外皮一般有黑色、紫褐色、紫黑色等，其质地细密，营养价值甚高，民间素来珍视黑米，被誉为"黑珍珠"，又因其在旧时被列为贡品而称为"贡米"、"珍贡米"等。黑米主要煮粥或蒸饭食用，其煮出来的粥，黝黑晶莹，味道醇厚，适用于孕产妇和老幼体弱者食用。

黑米

荞麦

荞麦又称荞子、乌麦等，荞麦的蛋白质含量为11%，并具有人体必需的氨基酸，其中赖氨酸的含量约比小麦与水稻高2倍，此外还富含亚油酸等不饱和脂肪酸、钙、磷和铁，并含有维生素B_1、维生素B_2、维生素E、柠檬酸等，其性凉味甘，有清热解毒、益气宽肠的功效。

小米

小米又称粟米、谷子、黄粟等，小米是一种营养价值较高的保健食品，其中蛋白质含量为7.25%～17.5%，还含有维生素A、维生素B_1、维生素B_2、维生素E等，有滋养肾气、健康脾胃、清虚热的功效。小米可单独制成小米饭、小米粥等。

薏米

薏米又称薏苡、回回米、薏珠子、药玉米等，是古老的作物之一，现在全国各地均有栽培。薏米的种仁含碳水化合物、脂肪、蛋白质及多种氨基酸，为深受欢迎的保健食品，有健脾、补肺、利湿、清热等功效。

燕麦

燕麦营养价值较高，中国裸燕麦粉含蛋白质15%、脂肪8.5%。蛋白质中主要氨基酸含量较多，组成全面；脂肪酸中亚油酸占38%～46%。子粒中还含有其他禾谷类作物中缺乏的皂苷，故对降低胆固醇、甘油三脂有一定功效。

白果 白果又称银杏、鸭脚子、佛指甲等，含有丰富的蛋白质、脂肪、果糖、粗纤维，并有少量的维生素B_1、维生素B_2和钾、铁、钙、磷等矿物质。中医认为白果有化痰、止咳、补肺、通经和利尿等功效，可用于哮喘、白带、遗精、淋病等症的治疗。

桂圆又称龙眼（鲜品）、圆眼、龙目等，桂圆中以碳水化合物最为丰富，可达30%以上，另外还含有蛋白质、B族维生素、维生素C和铁、钙和磷等矿物质，有补血、按神、益脑力、养心脾等功效。 **桂圆**

核桃 核桃为胡桃科胡桃属落叶乔木，核桃营养价值极高，其中以脂肪的含量最高，另外蛋白质含量为17%～27%，还含有碳水化合物、维生素A、B族维生素、维生素C及钙、磷、铁等，有补肾助阳、温肺定喘、补气养血、强筋壮骨之功效。

花生又称长生果、果仁、落地生等，花生的营养价值较高，其所含的蛋白质仅次于大豆，且为优质蛋白质，很容易为人体所吸收，另外还含有脂肪、碳水化合物及钙、磷等矿物质，有补气润肺、健脾开胃的功效。 **花生**

栗子 栗子又称板栗、栗果、毛栗、大栗等，栗子果实含糖及淀粉为62%～70%，并含有蛋白质、脂肪、胡萝卜素及多种维生素和钙、磷、铁等矿物质，有养胃、健脾、补肾、强腰、补血之功效。

莲子为睡莲科植物莲的果实，富含蛋白质、脂肪、碳水化合物、磷、铁和钙等人体所需的多种营养成分，尤其是磷、钾的含量比一般动植物都高，为一种健身抗老、延年益寿的滋补佳品，又有"莲参"之别称。 **莲子**

松子 松子又称松子仁、松仁等，营养丰富，其中尤其脂肪含量最高，一般松子的脂肪含量可达60%以上，但脂肪的大部分为油酸、亚麻油酸等不饱和脂肪酸，此外还含有蛋白质、碳水化合物和矿物质等，有润肺滑肠、补气充饥之功效。

枸杞子 枸杞子是茄科枸杞属的多分枝灌木植物的子，自古就是滋补养人的上品。枸杞中的维生素C含量比橙子高，β-胡萝卜素含量比胡萝卜高，铁含量比牛肉还高，具有促进肝细胞新生的药理作用，还可降血压、降血糖。

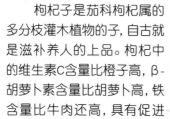

杏 仁 杏仁又称杏扁、甜杏仁、杏实、白玉仁等，杏仁中以蛋白质和脂肪的含量最高，还含有多种维生素、β-胡萝卜素及钙磷、钾、铁等矿物质，其中磷的含量比较丰富，可达352毫克/百克，有宣肺化痰、止咳定喘之功效。

腰 果 腰果又称鸡腰果、腰果仁、梨果等，腰果中脂肪含量约为45%，蛋白质含量为20%，糖类为22%，还含有各种氨基酸、多种维生素和少量矿物质。

大 枣 大枣为鼠李科枣树属植物的果实，鲜枣含糖35%，干枣含糖70%，还含蛋白质、脂肪、矿物质、维生素等，其中维生素C含量非常高，有补中益气、养胃健脾、养血安神等功效。

鸡 蛋

鸡蛋被认为是营养丰富的食品,有滋阴润燥、养心安神、补气养血的功效。鸡蛋中的鸡蛋黄有乳化作用,可以使面团更加柔软,鸡蛋清则使面团更有弹性,此外鸡蛋对面团的颜色、香味以及营养方面也有重要的作用。

糖可分为白砂糖、绵白糖、方糖、冰糖等,其中用于制作主食的糖主要为白砂糖,也有用少量的糖粉或糖浆。制作主食时,糖可增加成品的甜味和鲜味,提高面团的营养价值,此外能改进主食的色泽,使成品光滑细腻,成品松发、柔软。

糖

芝 麻

芝麻为胡麻科胡麻属一年生草本植物种子,按种皮颜色可分为白色种、黄褐种、灰黑种和黑色种等。芝麻含较多的不饱和脂肪酸,其中油酸约为45%,亚油酸约为40%,并含有较多的维生素E,对延缓老化、改善血液循环、促进新陈代谢有良好作用,并且有补肝益肾、强身抗老的疗效。

向日葵为一年生草本植物,葵花子是向日葵的果实。葵花子含脂肪达50%,其中主要为不饱和脂肪,不含胆固醇,有助于降低人体血液胆固醇水平,有益于保护心血管,此外葵花子含有铁、锌、钾、镁等,具有预防贫血等疾病的作用。

葵花子

菠 萝

菠萝为凤梨科凤梨属多年生常绿草本植物,是我国南方热带地区的主要果品之一。菠萝的鲜果肉中含有丰富的果糖、葡萄糖、氨基酸、有机酸、蛋白质、粗纤维、多种维生素和矿物质等,有生津止渴、润肠通便、利尿消肿的功效。

西瓜堪称"瓜中之王",为葫芦科西瓜属一年生蔓性草本植物,主要以果实和种子供食用。西瓜含糖量一般为5%~12%,包括葡萄糖、果糖和蔗糖,还含有各种维生素和粗纤维,几乎不含淀粉和脂肪,有清热除烦、止渴解暑的功效。

西 瓜

樱 桃

樱桃为蔷薇科落叶果树樱桃熟的果实,樱桃成熟期早,又有"早春第一果"的美誉。樱桃含有丰富的铁质,为水果中之最,此外还含有β-胡萝卜素、各种维生素、蛋白质、粗纤维、果糖、葡萄糖等,有滋养肝肾、益脾养胃的功效。

葡萄有"水晶明珠"的爱称,为葡萄科藤本植物葡萄的果实。葡萄的品种甚多,我国约有500种,按颜色也可简单分为白葡萄、红葡萄、绿葡萄等。葡萄果色艳丽、汁多味美、营养丰富,其中含糖量达10%~30%,并含有其他多种微量元素,可以补气、养血、强心,并有增进人体健康和治疗神经衰弱的功效。

葡 萄

猕猴桃

猕猴桃是猕猴桃科植物猕猴桃的果实,因其维生素C含量在水果中名列前茅,一颗猕猴桃能提供一个人一日维生素C需求量的两倍多,被誉为"水果之王"。猕猴桃还含有良好的可溶性膳食纤维,有提高免疫力,改善消化不良、抗癌强体等食疗功效。

荔枝为无患子科荔枝属常绿乔木的果实,主要分布于北纬20°~28°热带及亚热带地区。荔枝果肉营养丰富,不仅含糖量高,且维生素C含量也丰富,还含有蛋白质、脂肪、磷、钙、铁等,有养血、生筋、理气、止痛之功效。

荔 枝

家常主食的 基础工具

　　要想制作出色香味美的主食,除了依靠熟练的手上功夫外,善用各种主食的工具也很重要。除了常用的一些电器用具,如微波炉、冰箱、电饭煲、电磁炉、烤箱等,我们还需要一些基础工具,来配合我们制作美味的家常主食。

　　基础工具除了我们厨房中必备的锅具、案板、道具、面盆外,各种铲子、小漏勺、蛋黄分离器、保鲜盒、削皮器、挖球器等也非常实用,在此我们为读者介绍家庭制作主食的常用工具,使您在制作时做到心中有数,游刃有余。

	擀面杖为擀面用的木棍,传统上也多为木制,近年来也出现了一些新品,如不锈钢面杖、竹木面杖、石头擀面杖等。此外擀面杖有好多种,其中有擀面条的大擀面杖,擀饺子皮的小擀面杖,有中间是空的,中间加上一根轴的,称为"走槌",是制作面点和烧卖皮的工具。　擀面杖
	刮板又称面铲板,是制作面团后刮净盆子或面板上剩余面团的工具,也可以用来切割面团及修整面团的四边。刮板有塑料、不锈钢、木制等多种,其中不锈钢刮板以其结实、美观、耐用的特点,受到大众的喜欢。　刮板
	秤有传统秤和电子秤两种,多用来秤取分量较多的固体材料。家庭中如选用传统秤,可购买称重3公斤的小台秤,如选用电子秤,可选用称重2～3公斤,精密度可以达到1克的天平秤,其价格约为小台秤的2～4倍。　秤
	筛罗又称粉筛,一般取用棕丝、马尾、钢丝等材料编织筛底,有粗细网眼之分。筛眼的粗细以单位面积有多少眼为标准,14目即每平方米196眼,目越大筛眼越细,可用于筛制粉料等。　筛罗
	家庭用搅拌机的种类较多,一般家庭使用,可选择手提式搅拌机。它使用方便灵活,不用时容易收藏,价格较低。不过这种搅拌机操作时较为吃力,而且效率也比较低。此外搅拌器在规格上有60W、75W、85W等,家庭如果人口多,可选择较大些的规格。　搅拌器
	削面是我们比较喜欢的家常主食之一,而家庭中有时候对削面的方法掌握不好,削出的面条会长短不一,宽窄有别。而削面刀可以很好地解决这个问题,使您在家也能够轻松的制作出削面。　削面刀

蒸笼又称笼屉，主要用来蒸制食物。一般以竹子、不锈钢等材料制成，并带有配套的笼垫，还有铝包竹蒸笼，这类蒸笼很结实，其次还有钢制蒸笼，这类蒸笼的特点是耐用，同时要比铝制蒸笼美观。

蒸笼

打蛋器分为手动和电动两大类。手动打蛋器常见的为不锈钢材质，用于打发奶油、蛋清等，是制作西点时，必不可少的烘焙工具之一。电动打蛋器即方便又省力，而且全蛋的打法很困难，必须使用电动打蛋器。

打蛋器

在制作蛋糕时，我们常常需要使用蛋糕转盘，蛋糕转盘一般为铝合金材质，直径约为30厘米，在我们用抹刀涂抹蛋糕胚时，可以边涂抹边轻轻转动，非常的省时省力。

蛋糕转盘

裱花嘴是制作一些西点时必备的工具，其一般由不锈钢制成，而且种类繁多，一般有圆形花嘴、齿型花嘴、细齿型花嘴、平口花嘴、排花嘴、半排花嘴、叶型花嘴等，家庭中可以选购12个装或24个装的裱花嘴。

裱花嘴

糕壳一般为铝制或不锈钢材质，是制作面点常用的小模具。糕壳按照用途可为布丁模、菊花模、蛋挞模等，按照图形可分为菊花模、椭圆形模等。

糕壳

粗锯齿刀用来切土司，细锯齿刀用来切蛋糕，一般的中片刀可以用来分割面团，小抹刀用来涂馅料和果酱，另外现在市场上还可以买到橡皮刮刀、硅胶刮刀等，可用于翻拌面糊，或搅拌高温馅料等。

刀具

花纸垫很漂亮，垫蛋糕或小西点不但不会弄脏盘子，还能让小点心更加精致，花纸垫的尺寸很多，一般常用的为4.5寸、6寸、8寸、9寸等。另外除了白色花纸垫外，还有金色、银色的。

花纸垫

羊毛刷也是制住主食必须的小工具，其可以很方便地在面片表面刷上油脂，或者在制作烘焙面点时，在成品的表面刷上一层蛋液等。羊毛刷按照尺寸，分为1寸、1寸半、2寸直至5寸。

羊毛刷

裱花袋是制作一些西点常用的工具，裱花袋分为一次性和布裱花袋两类。一次性的塑料裱花袋价格低廉，使用一次后即可扔掉，便于清理。布裱花袋使用后清洗干净，可以反复使用。

裱花袋

果挖又称挖球器，可以非常方便地把食材挖成球状。果挖的手柄为不锈钢或塑料材质，两端各有一个半圆形小勺，而且两个小勺的直径不同，可以挖出两种规格的圆球。

果挖

一般用木头、金属、塑料等材料制成，有方形、圆形等形状，底部刻有花纹、文字，可用于蒸制米糕、蛋糕，印制月饼等。

印模

家常主食的 常用面团

　　制作家常面点，首先要调制各种面团，调制面团包括和面及揉面两个过程。和面就是将各种粮食粉料与适量清水、油脂、蛋液和填料等掺合在一起，和成一个整体的面块；揉面是把和好的面块进一步加工成适合各类面点制作需要的面团。

　　面团可分为水调面团、膨松面团、油酥面团、蛋和面团、米粉面团和其他面团几种。从中又可细分为冷水面团、温水面团、热水面团、面肥发酵面团、干酵母发酵面团、酥皮面团、单酥面团、纯蛋面团、油蛋面团、水蛋面团、米粉面团、发酵粉团、澄粉面团、山药面团、果类面团等。

★ 热水面团 ★

将面粉放入盆内或案板上。①

一边倒入热水，一边搅拌。②

加入少许冷水，继续揉成面团。③

晾凉，再揉匀即成热水面团。④

★ 冷水面团 ★

将盆内或案板上面粉扒一凹窝。①

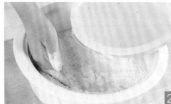
慢慢倒入30℃以下的冷水。②

边倒边搅拌，使面粉呈小面片。③

再加入冷水搅拌成疙瘩状面团。④

然后用手揉成光滑的面团。⑤

用湿布盖好，略饧即成。⑥

山药去皮，放入清水中洗净。

捞出山药，放入蒸锅内蒸熟。

取出晾凉，放入容器内。

★ 山药面团 ★

将熟山药捣烂成泥。

再加入适量熟面粉混合均匀。

反复揉搓成面团即成。

将红薯削去外皮，洗净。

切成大块，放入蒸锅内。

用旺火蒸约10分钟至熟软。

★ 薯类面团 ★

取出晾凉，捣烂成泥。

加入辅料混合均匀。

揉搓均匀成光滑的面团即可。

★ 干酵母发酵面团 ★

酵母放入碗内，加清水调至溶化。

面粉扒一凹窝，加入适量清水。

再加入酵母水调匀。

反复揉搓均匀成面团。

盖上湿布，饧发2小时即成。

发好的面团切开后有均匀空洞。

★面肥发酵面团★

将老面肥放入容器内。

加入适量温水。

再反复调拌均匀成稀糊状。

然后加入面粉揉匀成酵面。

碱面放入碗中，加入清水调匀。

在案板上均匀地撒上干面粉。

酵面放在案板上摊开，浇上碱液。

沾抹均匀，折叠好。

双手交叉，用掌跟将面团揉开。

反复几次，至碱液揉匀。

用湿布盖上面团，饧发片刻。

待面团质地光滑，稍有弹性即成。

★纯蛋面团★

①将鸡蛋磕入碗内搅拌均匀成鸡蛋液。
②面粉放在案板上，扒一凹窝。
③再加入鸡蛋液和适量植物油。
④蛋液与面粉拌匀(面粉和蛋液的比例为5:3)。
⑤用手反复揉搓均匀，制成面团。
⑥使面团达到三光，即板光、手光、面团光即成。

★绿色面团★

①将绿色蔬菜放入清水盆内择洗干净。

②捞出沥水, 放在案板上, 剁成细末。

③加入少许精盐调拌均匀。

④将蔬菜末装入布袋内。

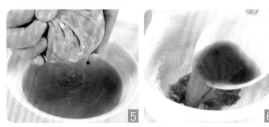

⑤轻轻挤出绿色的菜汁。

⑥面粉放入容器内, 倒入绿色蔬菜汁。

⑦搅拌均匀成粉絮状面片。

⑧再用手反复揉搓均匀, 制成绿色面团。

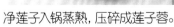

★果类面团★

净莲子入锅蒸熟, 压碎成莲子蓉。

莲蓉放入容器, 加入植物油调匀。

再加入白糖调匀。

然后加入熟澄面揉搓均匀。

放在案板上, 反复揉搓。

待揉至面团光滑即成果类面团。

★澄粉面团★

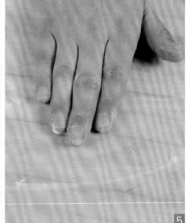

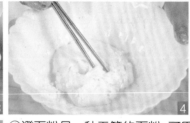
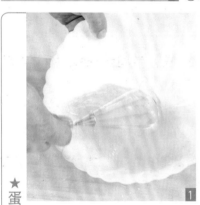

①澄面粉是一种无筋的面粉, 可用来制作虾饺、粉果等。

②将澄面粉放入容器内。

③加入适量沸水烫熟, 使其具有粘性。

④搅拌均匀后晾凉。

⑤倒在抹有熟猪油的案板上。

⑥继续揉搓均匀, 制成澄粉面团。

★蛋泡面团★

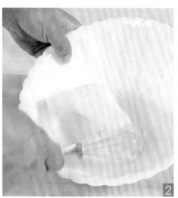

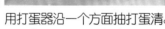

搅打至蛋液呈乳白色。

体积涨至三倍, 能插住筷子时。

鸡蛋取鸡蛋清, 放入碗内。

用打蛋器沿一个方面抽打蛋清。

加入少许精盐搅拌均匀。

再放入过筛的面粉拌匀。

加入少许温水混拌均匀。

揉成面团, 盖上湿布稍饧即成。

★油酥面团★

油酥面团是指用油脂和面粉(主要是麦粉)调制而成的面团。但全用油脂调成面团过于松散,且难以加工成型,成熟后又会散碎。那么就要配合一些清水或其他辅料调制成"皮面",配合使用。采用油酥面团制作的各种花样点心具有色泽美观,花样繁多,成品层次分明,干香松酥,口味多变,营养丰富等特点。

油酥面团是起酥制品所用面团的总称,它也分很多种类,我们可以多角度来划分它。根据成品分层与否,可分为层酥面团和混酥面团两种。根据调制面团时是否放水,又分为干酥和水油酥两种。根据成品表现形式,分为"明酥"、"暗酥"、"半明半暗酥"三种。根据操作时的手法分为大包酥和小包酥两种。

🕐 油酥面团之水油酥面

①将熟猪油放入碗内,加入适量温水搅拌均匀成猪油水。

②将面粉先过细筛,放在案板上(或容器内),中间扒一凹窝。

③倒入调制好的猪油水搅拌均匀。

④再反复揉搓均匀成光滑的面团,盖上湿布稍饧,制成水油酥面团。

🕐 油酥面团之干油酥面

①将面粉放在案板上,中间扒一凹窝,将油脂掺入面粉中拌匀。

②用双手掌跟压住,在案板上一层一层地向前推揉均匀。

③揉匀后滚成团后再次揉搓。

④如此反复数次,直至揉透成光滑的面团,再整理成形成干油酥面团。

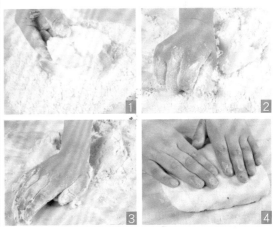

油酥面团之大包酥

将水油面团擀成大片。

将干油酥放在面片一侧。

用另外一侧面皮包住水油面团。

然后封口,擀成大片。

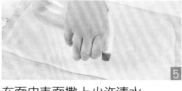

在面皮表面撒上少许清水。

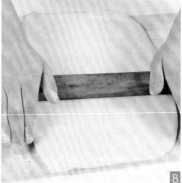

再将面皮叠成三折。

折叠时需轻压并整理成形。

继续擀制成大片即成。

油酥面团之小包酥

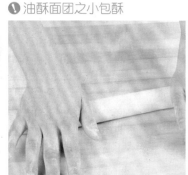

干油酥、水油酥面分别滚成长条。

干油酥、水油面分别下成剂子。

再逐个用水油面皮包裹干油酥。

按扁,擀开,叠好成小包酥。

油酥面团之明酥皮

油酥面剂断面向上,擀成圆皮。

中间放入适量馅料。

然后将面剂收口。

放在案板上按压成形即可。

❶ 油酥面团之暗酥皮

将擀好的薄片卷紧成条。

下成小面剂,光面朝下制成坯皮,包入馅料。

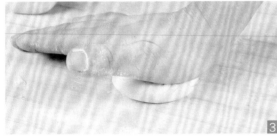

捏紧封口,放在案板上。

轻轻按压成大小均匀的生坯即可。

❶ 油酥面团之风味小包酥

将水油面揉搓均匀,切成面剂。

将油酥面切成稍小的面剂。

用包大包的方法将收口收实。

将水油面擀成均匀的面片。

中间放上一块油酥面块。

再按照大包酥的方法叠好。

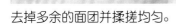

去掉多余的面团并揉搓均匀。

放在案板上,擀压成面片。

在面片上喷上少许清水。

最后揉搓并压成面剂即成。

家常主食的 食材加工处理

　　制作主食的食材，除了米面、五谷杂粮外，我们还常常需要其他一些食材，如制作馅料需要用到的蔬菜、畜肉、禽蛋、水产等，制作点心时需要用到的干果、鲜果等。主食食材的加工处理包含的内容比较多，其中可以简单分为食材清洗、食材涨发、刀工处理三大类。

　　食材清洗的好坏，对主食，尤其是馅料的调制有重要的作用，而且清洗好的食材也可以在卫生、安全方面对人体有保证，可以避免因为清洗不佳，影响身体的健康。

　　各种食材的刀工处理，又称为刀工，就是运用刀具及相关用具，采用各种刀法和指法，将不同质地的烹饪食材加工成适宜烹调需要的各种形状的技术。

　　在加工干料食材时，需要事先进行涨发处理。涨发就是利用干料的物理性质，采用各种方法，使干料食材重新吸收水分，最大限度地恢复其原有的鲜嫩、松软、爽脆的状态。

★ 白菜剁碎 ★

白菜是制作馅料的常用食材。

将白菜嫩帮切成宽条。

剁白菜有单刀剁和双刀剁。

要求先将白菜帮剁成大块。

将白菜块铲起归堆。

再反复剁碎成白菜馅料。

★ 菠菜加工 ★

菠菜去根，除去老叶和杂质。

放入清水中，加入精盐拌匀。

捞入沸水锅内焯烫，过凉。

攥净水分，再切成碎末。

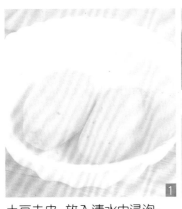

捞出，先将土豆片去一刀。

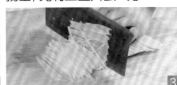

① 土豆去皮，放入清水中浸泡。

② 再切成片，顶刀切成细丝。

③ 土豆丝要浸泡，以免变色。

荸荠放入清水中浸泡并洗净。

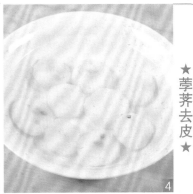

① 捞出荸荠，沥水，去掉梗。

② 再削去外皮，取净荸荠果肉。

③ 放入清水中浸泡即成。

★洋葱切碎★

① 将洋葱剥去外层老皮，切去根。

② 放入冷水中浸泡片刻，捞出。

③ 将洋葱切成细丝。

④ 用力压切，并将刀刃前部翘起。

⑤ 两手上下交替用力，切成碎粒。

⑥ 最后再用刀剁几下即成。

★ 咸肉切制 ★

咸肉用清水浸洗干净，放入碗中。

加葱、姜、料酒，入锅蒸熟。

取出晾凉，用直刀切成片。

或切成小粒用于制作馅料。

★ 猪肉剁馅 ★

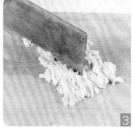

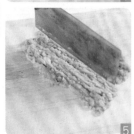

①将五花肉洗净，先片去猪皮，取净五花肉。
②将五花肉取下肥膘肉。
③肥膘肉切成粒，再剁成末。
④将瘦肉部分剁成均匀的小粒。
⑤再剁成瘦肉蓉。
⑥将肥肉和瘦肉调拌均匀即可。

★ 猪肉皮加工 ★

将带皮五花猪肉放在案板上。

中间切一刀，片下净五花肉。

在肉皮上切一刀，拽住刀口。

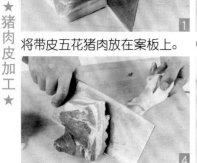

将另一半五花肉取下。

将肉皮表面的白肉膘去掉。

放入清水中浸泡即成。

★ 熟猪肚切制 ★

熟猪肚洗净,先切下肚头部分。

将肚头部分片开成两半。

用片刀法将猪肚头片成大片。

其他部位猪肚,要先片成两片。

用直刀法切成猪肚丝。

或切成肚条。

★ 里脊肉切丝 ★

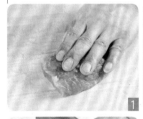

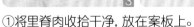

①将里脊肉收拾干净,放在案板上。
②先用平刀法片成大薄片。
③再用直刀法顶刀切成丝状。
④肉丝的规格有两种,粗丝直径为3毫米,长为4～8厘米;细丝直径小于3毫米,长为4～6厘米。

★ 里脊肉切丁 ★

①将里脊肉放入清水中洗净,沥干水分,切成厚片。
②再将厚片切成长条状。
③然后改刀切成正方体的形状。
④大丁约2厘米见方,中丁1.2厘米见方,小丁为8毫米见方。

★巧制鱼蓉★

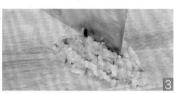

再用刀将鱼粒剁成蓉。

将净鱼肉片成厚片。

改刀切成黄豆大小的粒。

也可用刀背在鱼肉表面刮取。

★鲜鱼取肉★

①将净鲜鱼切去鱼头，剁断鱼尾。
②右手持刀，从鱼尾处下刀，由尾片至鱼头部将其片成两片。
③再将带鱼脊骨的一边片去骨头。
④将两块鱼头去掉胸肋骨刺，即成带皮鱼肉。

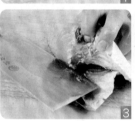 

⑤鱼肉中间切一刀，一手拽鱼尾，另一手用平刀片取鱼块。
⑥在鱼皮上面切一小刀。
⑦拽住孔洞，把另一半鱼肉片下来成净鱼肉。
⑧将鱼肉放入清水中洗净血污，沥净水分。

 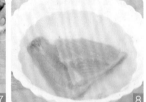

★鲜虾切粒★

将鲜虾洗净，去掉虾头。

用手剥去虾壳、虾尾。

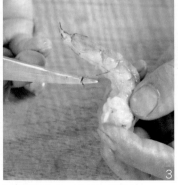

再挑除沙线，洗净后沥干。

然后用刀切成大小均匀的粒。

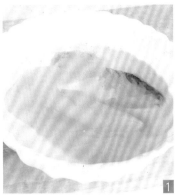

再顶刀切成细丝。

★ 海蜇切细丝 ★

水发海蜇用冷水浸泡并洗净。

捞出，放在案板上卷成长卷。

然后放入清水中浸泡即可。

★ 扇贝的处理 ★

①新鲜扇贝要先用清水冲洗干净，用小刀伸进贝壳内。

②将贝壳一开为二，同时划断贝壳里面的贝肉。

③再用小刀贴着贝壳的底部，将扇贝肉完全剔出来即为扇贝肉。

④将扇贝肉用淡盐水浸泡，取出换清水洗净。

⑤用小刀将扇贝肉的内脏，也就是看上去黑乎乎的东西去除。

⑥将完整的扇贝肉放入大碗内，加入少许精盐和清水浸泡5分钟。

⑦捞出扇贝肉，加入少许淀粉和清水搓洗干净。

⑧最后换清水漂洗干净即可。

馅料使用的海参多切成小粒。

需要先把水发海参收拾干净。

切条时先把海参切成两半。

★ 海参切小粒 ★

再顺长切成长短一致的条状。

将水发海参切成小块。

再直切几刀成海参小粒即可。

① 净锅置火上，加入清水、葱段和姜片。
② 再加入适量精盐、米醋、料酒烧沸。
③ 鳝鱼置入沸水锅中迅速加热至鳝鱼嘴张开。
④ 捞出鳝鱼放入冷水中，浸凉后洗去黏液。

★ 鳝鱼熟出骨 ★

⑤ 然后从鳝鱼的颈部用刀尖划开。
⑥ 顺沿脊骨从头至尾部划开，出掉鱼骨。
⑦ 再去掉内脏和杂质，留熟鳝鱼肉。
⑧ 再用清水洗净，沥水即成。

★ 海螺取肉清洗 ★

加入少许精盐和面粉浸拌。

海螺砸碎外壳，取出海螺肉。

去掉黏液、杂质，用清水洗净。

再根据菜肴要求加工成形。

★鸡胸肉制鸡蓉★

将整个鸡胸肉切成两半。

去掉白色的筋膜，洗净杂质。

用平刀法将鸡肉片成鸡片。

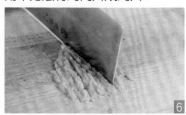

鸡片再直刀切细，即为鸡肉丝。

鸡肉丝切碎成绿豆大小的粒。

用刀背将鸡粒剁成鸡蓉即可。

★ 蛤蜊清洗 ★

蛤蜊用清水刷洗干净。

放入清水锅内稍煮片刻。

待蛤蜊全部开口，捞出蛤蜊。

放入冷水中过凉。

去掉外壳，取蛤蜊肉

再去掉杂物，用清水洗净即成。

★ 生取蟹肉 ★

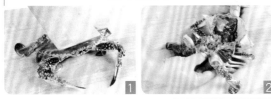

①先用刀面将螃蟹拍晕。

②迅速揭开蟹盖，去掉污物。

③洗净后剪下大钳和蟹的小腿。

④再将螃蟹剪开成两半。

⑤用小刀轻轻挑出鲜美的蟹肉。

⑥大钳剁去两端，捅出蟹腿肉，此为生取蟹肉。

★ 熟取蟹肉 ★

①将螃蟹刷洗干净。

②放入蒸锅内，用旺火蒸10分钟。

③取出螃蟹，揭开蟹壳。

④去掉蟹腮等杂质。

⑤先用小勺取出腹部蟹黄膏。

⑥再按照生取蟹肉的方法取蟹肉，称为熟取。

★ 核桃碎制法 ★

①将核桃放入蒸笼内蒸几分钟。

②取出核桃，放入冷水中浸泡。

③再砸开硬壳，用手轻轻掰开。

④取出核桃肉，放入沸水中烫几分钟。

⑤用手轻捻就能把皮剥下来。

⑥再用刀背将核桃果肉压碎即成。

★鲜金针菇清洗★

加入少许精盐拌匀。

将鲜金针菇切去根。　　撕开成丝，放入清水盆中。　　搓洗干净，捞出沥水即可。

★栗子制蓉★

①将栗子头部的壳用小刀切去一块。

②放入沸水锅内煮约2分钟。

③捞出栗子，再用清水浸泡，沥净水分。

④趁热先把栗子外壳剥去。

⑤再去掉栗子内的果皮。

⑥将栗子果肉放在案板上，用刀面压成蓉即可。

捞出,削去两端,捅出莲心。

干莲子放入锅中稍煮几分钟。　加入冷水,入笼蒸20分钟。　取出莲子,再用清水浸泡即可。

★海参巧涨发★

①海参是制作馅料时比较常用的食材。
②干海参需要放在器皿中,加入热水浸泡12小时。
③捞出海参,放入清水锅内稍煮。
④待海参煮至全部回软。

⑤捞出海参,放入温水中搓洗干净。
⑥取出海参,用剪刀剪开海参的腹部。
⑦去掉海参环形骨板和海参内脏等。
⑧再放入清水锅内焖煮几次直至完全涨发。

①将白果用水冲洗干净。
②用刀面砸至外壳裂开。
③放入冷水锅内煮至白果熟嫩。
④捞出白果过凉,去掉硬壳。
⑤再剥去红皮衣,去掉胚芽。
⑥最后用清水洗净,沥净水分即成。

家常主食的 加工窍门

　　前面我们为您介绍了家常主食制作的基础常识，如家常主食常用的原料和配料，制作家常主食需要的工具，家常主食的常用面团以及主食食材的加工和处理等。但有时候我们在制作家常主食时，需要了解一些制作家常主食的小窍门。如巧制花椒水、巧取葱姜汁、家庭制作蒜汁、花椒密封保存、巧切大葱不辣眼、巧取菜汁、巧切松花蛋、苦瓜去除苦味、羊肉馅小窍门、木耳加工窍门、巧制草莓酱、剁肉如何不粘刀、猪腰去腥窍门、鲜肉保鲜、巧制鳝骨汤、巧制鸡骨架浓汤、巧制鱼骨清汤、鱿鱼须巧加工、果子巧剥壳、巧炒芝麻盐等，在此我们愿意与您一起分享，使您在制作家常主食时做到心中有数，不仅可以提高效率，也可以增加烹调的乐趣。

★ 巧制花椒水 ★

将花椒、姜片、清水放入锅内。

烧沸后改用中火熬出香味。

出锅将汤汁放入大碗内晾凉。

用细篦子过滤去掉杂质即成。

★ 巧取葱姜汁 ★

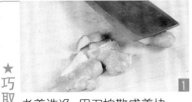
老姜洗净，用刀拍散成姜块。

大葱洗净，沥净水分，切成段。

将葱段、姜块放入容器内。

加入清水拌匀并浸泡10分钟。

揉捏葱、姜至汁液溶入水中。

用筛网滤去葱、姜即为葱姜汁。

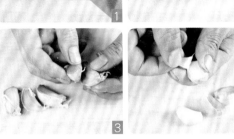

①将大蒜洗净,先切去根部。
②再用利刀切去少许蒜芽部分。
③将大蒜剥去外皮,取整蒜瓣。
④这样就很容易剥去外皮成净蒜瓣。

★家庭制作蒜汁★

⑤将净蒜瓣放在案板上剁碎。
⑥放入捣蒜器内,捣烂成蒜蓉。
⑦取出蒜蓉,放入干净的容器内。
⑧加入清水、精盐等调拌均匀成蒜汁。

★花椒密封保存★

用小火煸炒至干,出锅。

净锅置火上烧热,放入花椒。　　再将花椒放入玻璃容器内。　　盖上容器盖密封保存即成。

★巧切大葱不辣眼★

将大葱放在案板上,先切去根。　　再剥去外层老皮和老叶。　　将大葱放入清水中浸泡片刻。

捞出再切,可防止切葱流眼泪。　　还可以在菜刀上沾少许清水。　　也可以避免切大葱时流泪。

★巧取菜汁★

①将蔬菜去根,放入清水中,加入少许精盐浸泡。
②捞出蔬菜,放入沸水锅中焯烫一下。
③捞出过凉,放在案板上,剁成碎末。
④再加入适量精盐拌匀稍腌。
⑤装入纱布袋内(或用纱布包裹)。
⑥挤出绿色的菜汁即成。

★巧切松花蛋★

①切松花蛋时蛋黄容易粘在刀上,有时候我们用细线勒。
②或者在刀口上沾上少许水(或油),但总体效果并不理想。

🕐 切制窍门
①在切制前将松花蛋上屉蒸2分钟。
②取出后再切松花蛋,就不会粘刀了。

★苦瓜去除苦味★

①苦瓜脆嫩,但带有少许的苦味,如不习惯苦瓜特有的苦味。
②可将切好的苦瓜片撒上少许精盐拌匀并腌渍,可减轻苦味。
③或者将洗净的苦瓜切成条块,放入沸水锅内焯熟,捞出过凉,也可去掉苦味。
④还可以将切好的苦瓜片用凉水漂洗几次,苦汁也会随水去除。

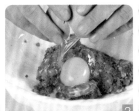

①将净羊肉排斩细蓉。

②放入容器内，加入鸡蛋搅打拌匀。

③再加上少许鸡汤继续搅拌上劲。

④然后放入精盐、酱油等调好口味。

⑤如果羊肉馅过于油腻，可以加入切碎的荸荠。

⑥将馅料放入保鲜盒内，放入冰箱内冷藏。

★ 羊肉馅小窍门 ★

干木耳加入冷水，使慢慢吸水。　待木耳体积全部涨大。　再加入2小匙淀粉拌匀。

将木耳反复揉搓以去掉杂质。　捞出木耳，再用清水洗净。　即可去除木耳细小的杂质。

★ 木耳加工窍门 ★

★ 巧制草莓酱 ★

①将草莓放在流水下冲洗。

②放入盆内，加入清水和少许精盐浸泡10分钟。

③捞出草莓，再用清水洗净。

④取出草莓，去掉草莓蒂。

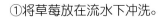

⑤将草莓放入清水锅内。

⑥用旺火煮3分钟，再改小火煮10分钟。

⑦加入冰糖和少许琼脂续煮2分钟。

⑧出锅倒在容器内，晾凉后即为草莓酱。

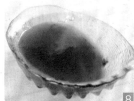

★ 剁肉如何不粘刀 ★

剁肉前将刀放在热水中浸泡。

取出用姜片在刀面上抹几下。

剁肉时肉末就不会粘刀。

且剁制的肉馅也更加鲜嫩。

★ 猪腰去腥窍门 ★

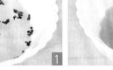

花椒放入碗里, 用沸水浸泡10分钟。

取出花椒不用, 待花椒水晾凉。

放入切好的猪腰浸泡3分钟即可。

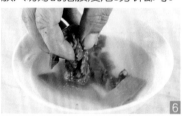

还可将切好的猪腰放在小碗里。　倒入少许白酒后反复捏洗。　　再用清水洗净, 也可以去腥气。

★ 鲜肉保鲜 ★

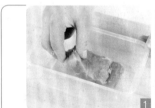

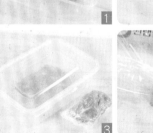

①家庭保存鲜肉, 可把鲜肉放在保鲜盒内。

②撒上少许料酒, 盖上保鲜盒盖。

③放入冰箱的冷藏室, 可贮藏1～2天不变质。

④如果需要长期保存, 则需要用保鲜膜。

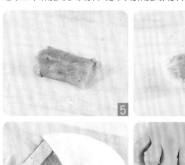

⑤用保鲜膜将鲜肉包裹好。

⑥放入冰箱冷冻室内冷冻保鲜即可。

⑦还可以在鲜肉的表明涂抹上少许蜂蜜。

⑧再放入保鲜盒内, 可存放很长时间。

★巧制鳝骨汤★

①鳝鱼取肉后，剔取的鳝鱼骨剁成块，洗净。

②净锅置火上，加入少许植物油烧热，放入葱段、姜片炒出香味。

③再加入鳝鱼骨和料酒煸炒至变色。

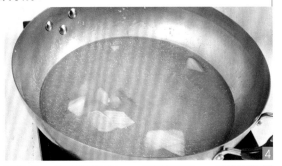

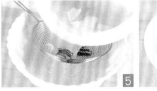

④然后加入适量清水，用小火煮至汤汁乳白色。

⑤捞出鳝鱼骨头和杂质。

⑥过滤后即成美味鳝骨汤。

将鸡骨架收拾干净，剁成大块。　鸡骨架放入清水中洗净，捞出。　放入冷水锅内，加入葱姜焯烫。

捞入清水锅内，用旺火煮沸。　去掉汤面浮沫，继续加热。　至汤汁呈乳白色，过滤即成。

★巧制鸡骨架浓汤★

将鱼骨、鱼皮等清洗干净。　放在案板上，剁成大块。　将鱼骨块放入干净的锅内。

加葱姜、清水，小火煮30分钟。　捞出鱼骨，倒入鸡肉蓉提清。　搅匀至澄清，出锅过滤即成。

★巧制鱼骨清汤★

★鱿鱼须巧加工★

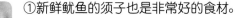

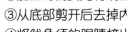

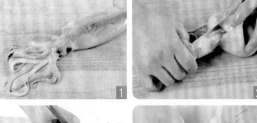

①新鲜鱿鱼的须子也是非常好的食材。

②加工时需要先将鱿鱼须连内脏一起掏出。

③从底部剪开后去掉内脏和杂质。

④将鱿鱼须的眼睛挤出。

⑤从须子上部撕去外膜。

⑥放在案板上，用刀背刮净黑膜。

⑦将鱿鱼须切成小段。

⑧放入清水中漂洗干净即可。

★栗子巧剥壳★

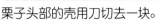

栗子头部的壳用刀切去一块。

放入沸水锅内煮约2分钟。

捞出栗子，再用清水浸泡。

沥净水分，即可趁热剥去壳。

★巧炒芝麻盐★

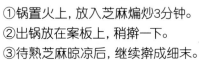

①锅置火上，放入芝麻煸炒3分钟。

②出锅放在案板上，稍擀一下。

③待熟芝麻晾凉后，继续擀成细末。

④将芝麻末放在小碗内。

⑤加入适量精盐调拌均匀。

⑥即成清香可口的芝麻盐。

第2天
家常主食巧入门

家常主食的

成型手法

　　各种主食的制作，首先离不开多样的成型手法。而家常主食的成型手法，就是用调制好的各种面团，按照制品的要求，用各种方法制成多种多样的半成品(或者成品)。主食的成型手法是一项技艺性工作，也是主食制作的重要组成部分之一，对丰富主食的品种、花色、保证主食的品质等有非常重要的作用。

　　我们知道，家常主食的品种多样，花色繁多，因此主食的成型手法也比较多。从总的制作程序看，家常主食的成型手法可分为搓条、下剂、制皮和成型四大步骤。其中搓条、下剂和制皮三个步骤属于面点成型前的准备阶段，也是面点制作的基本技术范围，它与最后的主食成型是密不可分的，而且对成型质量影响很大。

★面团搓条★

1 先取一块面团切成大条。

2 用掌跟压在条上，来回推揉。

3 或用抻面法使条向两端延伸。

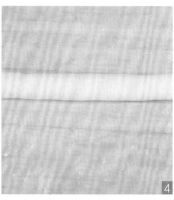
4 揉搓成粗细均匀的长条状。

★面团揪剂★

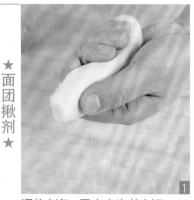
1 握住剂条，露出少许的剂子。

2 用手捏住露出的剂子。

3 顺势往下揪成大小均匀的面剂。

4 放在案板上，轻压成圆形状。

★ 面团切剂 ★

①将面团揉搓成大块的面团,切成两半。

②再将面团搓成均匀的长条状。

③用刀将剂条切成剂子或剂块。

④切剂主要用于切制馒头生坯等。

★ 面团挖剂 ★

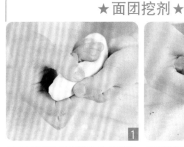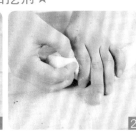

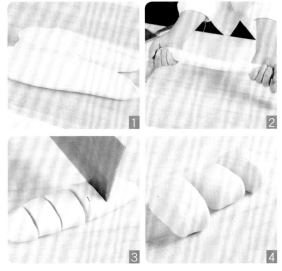

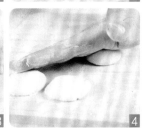

①将搓好的剂条拉直放在案板上。

②一手按住,另一手四指弯曲成挖土机的铲形,从剂条下面伸入。

③顺势向上一挖成大小均匀的面剂。

④将面剂放在案板上,用手掌按压成形即可。

★ 面团拉剂 ★

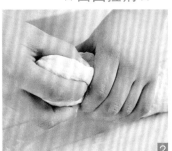

①将面团放在案板上,先揉搓成均匀的剂条。

②一手握住剂条,另一手的五指抓住剂条的一小块。

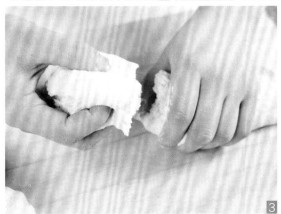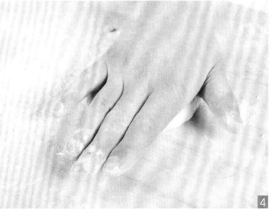

③顺势一块块拉下成大小均匀的面剂(面剂的大小根据成品要求确定)。

④再用手掌将面剂按压成形即可(拉剂主要用于稀软面团,如馅饼面团等)。

★ 面剂按皮和拍皮 ★

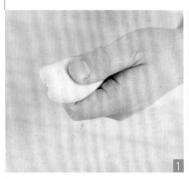

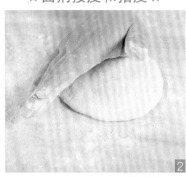

①面团搓成长条，下好剂子，放在案板上。

②用手掌跟部按成中间稍厚、边缘稍薄的圆形片。

③拍皮与按皮基本相似，是将剂子稍加整理，先压一下。

④再用刀沿剂子周围拍成中间稍厚、周围稍薄的圆皮。

★ 馒头揉搓 ★

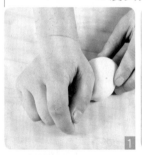

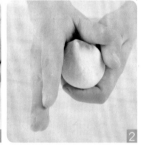

①揉馒头时要求一手握住面剂子（只要握住，不要纂紧）。

②掌跟压在剂子一端底部，向前推揉。

③使剂子头部变圆，剂尾揉进变小。

④最后剩下一点，招掉，立在案板上即成。

★ 擀水饺皮 ★

①将面团制作成长条，下成大小均匀的面剂。

②一手捏住边沿，一手擀制（擀至剂皮的2/5处为宜）。

③擀一下，将剂皮顺一个方向转动一个角度。

④继续擀制，直至成大小适当、中间稍厚、周围略薄成圆形即可。

★大包制作★

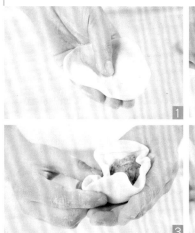

①一手托皮，手指稍向上弯曲。

②使皮在手中呈凹形，中间放入馅料后稍按。

③然后将四边拎起拢向中间。

④包住收口并按挤紧密。

⑤掐掉挤出的小剂头。

⑥制成无缝的圆形、蛋形等，剂口朝下放在案板上。

★纺锤形面食★

用手掌轻轻揉搓按压成尖状。

剂子放在案板上，揉搓均匀。

再将另一侧的面团按压成形。

轻轻揉搓后即成纺锤形。

★馅饼制作★

将大小均匀的面剂压成面皮。

中间包入馅料后收口。

放在案板上，用手掌轻轻按压。

直至成为均匀扁圆的饼形。

★ 擀馄饨皮 ★

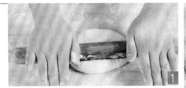

将面团揉折成方形团块。

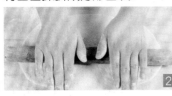

再用面杖向四周擀开成矩形。

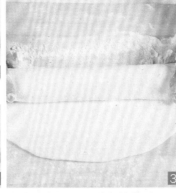

卷在面杖上，双手向前推滚。

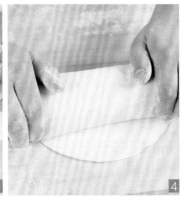

每推滚几次，撒上少许面粉。

直至擀成薄而匀的大薄片。

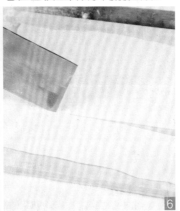

将大薄面片先切成长条块。

再切成大小均匀的正方形。

或切成梯形、三角形、方形等。

★ 馄饨制作 ★

①一手握住制作好的面皮，一手拿筷子头挑一点调好的馅料。

②将馅料粘在面皮的一头(或一角)。

③并顺势将筷子朝内卷两卷。

④抽出筷子后将两头粘在一起。

⑤制成馄饨生坯。

⑥还可以将馅料抹在皮子中间，连续对折两次。

⑦再将一头靠里的一面涂上少许清水。

⑧与对称的另一头的里层粘合起来，制成猫耳朵形馄饨生坯。

★ 粽子制作 ★

①将糯米淘洗干净，放入清水中浸泡至发涨。
②将两张粽叶合在一起。
③扭成锥形筒状，先放入少许糯米。
④再放入其他辅料，如红枣、豆沙馅、叉烧馅、白糖馅等。

⑤再用少许泡好的糯米盖在辅料上面。
⑥先用上面的粽子叶盖住糯米并压实，然后包成菱角形。
⑦也可以包成三角形、四角形等。
⑧最后用麻绳捆紧即成粽子生坯。

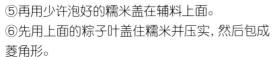

★ 春卷制作 ★

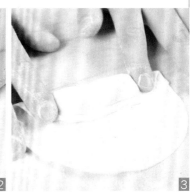

春卷皮放在案板上，放入馅料。　　将下侧的皮向上叠盖在馅料上。　　两头往里叠一下并轻轻压实。

滚动，使上侧的皮叠盖在皮上。　　封口处用清水或面糊粘住。　　即成长条形春卷生坯。

★成型之四喜饺★

一手托皮，一手用尺子上馅料。

从皮边的四等份处提起来。

捏住成为4个角8个边。

相邻两边捏在一起呈四个小洞。

分别在洞内填上不同的馅料。

再将每个大洞的角捏尖即成。

★成型之木鱼饺★

①木鱼饺又称平边饺，将面剂放在案板上。
②擀成大小均匀的圆面皮。
③一手托皮，一手将馅料放在面皮中间并按实。
④托皮的手将上好馅的面皮送入手指虎口处。
⑤拇指将面皮的边向上扶、合上、对准，同时另一手虎口托住皮的另一头。
⑥双手食指弯曲向下，拇指对称成人字形在上，挤捏皮边沿成边沿印有3道指节的木鱼饺。

★成型之月牙饺★

①将面剂擀成圆形薄片。
②放入馅料，压实后先将中间捏上。
③再将两侧的面皮合上。
④手的食指放在皮的外边，拇指放在皮里边，食指和拇指配合。
⑤从一头开始推捏（推捏时，拇指的用力方向向前，食指的用力方向向后）出瓦棱形的褶。
⑥完成后整体呈月牙形（注意不能伤皮破边）。

将饺子皮放在饺子模具上。

中间放上适量馅料并压平。

将模具两端朝中间扣紧。

松开模具，就成为模具饺子形。

★成型之模具饺★

①将面剂按扁，用擀面杖压住剂子的边缘。
②边擀边顺一个方向擀成中间厚、边缘薄的圆皮。
③将面皮放在手掌上，中间放入适量馅料。
④用手指虎口将靠近收口处稍稍挤紧。
⑤再轻轻转动成石榴形烧卖。
⑥烧卖制品不要封口，要能从口上见到馅料。

★成型之烧卖★

面皮放上馅料，先将中间捏和。

从右侧将皮捏一下。

继续将右侧的面皮捏合。

再从左侧捏一下。

继续从左侧将面皮捏紧。

即为我们家庭常见的水饺形。

★成型之家常水饺★

★成型之单花卷★

将面团擀制成大薄片。

用刷子刷上一层植物油。

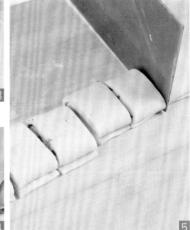

均匀地撒上少许葱花、精盐。

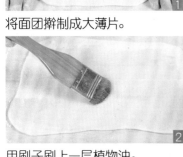

从一侧卷起成单卷。

再用刀切成大小适宜的面剂。

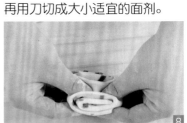

用手执剂子两头,使边稍往上翘。

一手向外,一手向里对拧成花卷。

或将面剂子从中间按压一下。

将切面朝上翻起捏实。

一手朝外,一手朝里对拧一下。

即成家庭常见的单花葱花卷。

还可以从剂子中间划一个刀口。

拿住一头穿过刀口。

翻过来略抻,即成单套环花卷。

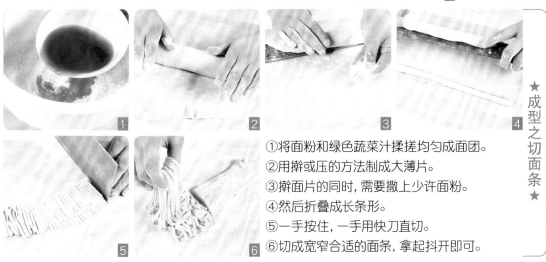

①将面粉和绿色蔬菜汁揉搓均匀成面团。
②用擀或压的方法制成大薄片。
③擀面片的同时，需要撒上少许面粉。
④然后折叠成长条形。
⑤一手按住，一手用快刀直切。
⑥切成宽窄合适的面条，拿起抖开即可。

★ 成型之双花卷 ★

面团放在案板上，擀成大薄片。

均匀地涂抹上精盐、植物油等。

先从一侧朝中间卷成卷。

再从另一侧对卷成双卷。

然后切成大小适宜的面剂。

取一个面剂，两手拿住两头。

在卷纹中间一顶成虎头双花卷。

或将双花卷中间按一凹痕。

将花卷的切面对齐。

双手握住两端，稍微拉伸一下。

再将两头分别向左右一卷。

再按一下即成枕形双花卷。

★成型之塑料模具★

①模压时先用右手执生坯一块（拇指在上，护住光滑的一面）。

②翻手，光面朝下放入塑料模具内。

③用手掌跟部将生坯按实、压平，削去多余部分。

④将模具翻扣在案板上，取出成品即可。

★成型之秋叶卷★

蔬菜剁碎，加入精盐后取菜汁。

将面粉中加入适量菜汁。

反复揉搓均匀成绿色面团。

再将面团擀成长方形大片。

撒上面粉，从一侧卷起成筒形。

切成大小适宜的绿色剂子。

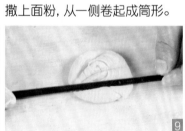

继续用筷子在断面处压上纹。

花纹朝上放在案板上，轻压一下。

用筷子在断面处压一下。

将两端稍捏成型，即成秋叶卷。

★ 成型之木制模具 ★

将木制模具刷上一层植物油。

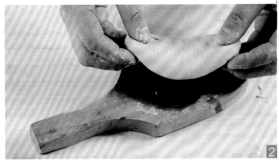

将加工好的生坯充盈模具。

执刀削除模具中多余的坯面。

将模具头部磕在案板上并瞬间头部弹起即成。

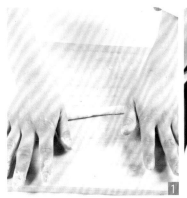

将剂条搓成粗细均匀的长条。

将长条两端合在一起成双股。

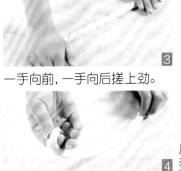

一手向前，一手向后搓上劲。

再一手握住双条的一端。

缠绕在手上并扣紧。

再将双条放在案板上。

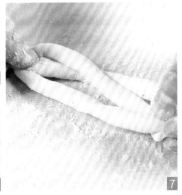

将两端轻轻拉伸并捏紧。

最后合拢成绳状麻花条即成。

★ 成型之搓麻花条 ★

55★

家常主食的 必知馅料

馅料又称馅心，就是用各种不同的制馅原料，经过精细加工制成的形式多样，味美适口，并包在面点内部的心子。其不仅可以增加各种面点的花色品种，调剂面点的口味，还可以增加面点的营养价值。

我们知道，馅料属于包烹食物原料，是由原始的包烹法发展演化而来。所谓包烹法，是先民在没有炊具时代，用大型植物叶子包裹食物，在叶子的外面糊上稀泥，再用火烧、烤或煨等方法加工熟制。现在看来包烹法非常简单，但在当时是一种了不起的创举。

后来人们经实践进一步发现，要想使包烹食品味美，就要将大块食物弄碎再包烹，由此出现了馅料的雏形，并且包烹也由原始的叶包，逐步发展成面皮包、豆皮包、蛋皮包等等，并出现了粽子、饺子、锅贴、包子、馅饼等多种具有美味馅料的食品。

素 馅

- 原料：豆芽150克，嫩菜心50克，水发口蘑、水发香菇各15克，木耳5克。
- 调料：精盐1小匙，味精少许，红腐乳汁1大匙，香油2小匙。

★ 制 法 ★

①将豆芽洗净，去掉豆芽两端。
②将豆芽放在案板上，剁成细粒。
③用洁布包裹，挤干水分。
④嫩菜心洗净，沥净水分，剁成细末。
⑤水发口蘑洗净，沥水后切成小粒。
⑥水发香菇去蒂，洗净，切成小粒。
⑦木耳用清水发透，焯烫后过凉，切成小粒。
⑧将加工好的各种食材全部放在容器内。

⑨先加入红腐乳汁、精盐拌匀。
⑩再加入味精和香油调拌均匀即可。

翡翠馅料

- 原料: 净菠菜400克, 熟火腿50克, 冬笋30克。
- 调料: 精盐1小匙, 白糖少许, 味精1/2小匙, 熟猪油1大匙, 香油2小匙。

★ 制　法 ★

①净菠菜放入沸水锅中略焯一下, 捞出过凉。
②攥干水分, 再剁成碎末。
③熟火腿先切成细条, 再切成小粒。
④冬笋去皮, 洗净, 沥净水分, 切成小粒。

⑤将菠菜碎末放在大盘内, 加入精盐拌匀。
⑥再放入切好的熟火腿粒和冬笋粒拌匀。
⑦然后加入白糖、味精调匀。
⑧再加入熟猪油和香油调匀即成。

薯泥馅料

- 原料: 红薯500克, 瓜子仁、芝麻各25克。
- 调料: 精盐1小匙, 白糖200克, 熟猪油50克。

★ 制　法 ★

瓜子、芝麻入锅炒熟。　　红薯削去外皮, 洗净。　　切成大块, 放入蒸锅内。　　用旺火蒸熟, 晾凉。

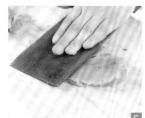

放在案板上, 压成泥状。　入热油锅中炒至吐油。　离火出锅, 倒入容器内。　加入调料、原料拌匀即成。

生肉馅料

🔹 原料：猪五花肉蓉500克。

🔹 调料：葱末25克，姜末15克，酱油2大匙，精盐1小匙，味精少许，香油1大匙。

★ 制　法 ★

①猪五花肉蓉放入碗中，加入酱油调匀。

②分数次加入清水或肉汤(100克)拌匀。

③加入精盐和姜末搅拌均匀。

④再放入葱末和味精调匀。

⑤最后放入香油搅拌均匀。

⑥即成生肉馅料。

莲蓉馅

🔹 原料：莲子500克。

🔹 调料：白糖300克，植物油3大匙。

★ 制　法 ★

①莲子放入温水中泡涨，去掉皮和心。

②放入碗中，入笼用旺火蒸至软烂。

③取出莲子，放入冷水中浸泡至凉。

④捞出莲子，沥水，放入容器内拌成蓉。

⑤锅中加入植物油，置火上烧热，放入白糖。

⑥用小火煸炒至白糖溶化。

⑦加入莲蓉，继续翻炒至吐油、不粘锅时。

⑧出锅倒入容器内即成。

糯米肉馅

❶ 原料: 糯米200克, 猪肉150克, 咸鸭蛋2个。

❶ 调料: 葱末、姜末各5克, 精盐1小匙, 酱油1/2大匙, 料酒2小匙, 白糖、胡椒粉、味精各少许, 熟猪油、香油各适量。

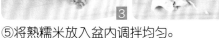

①将糯米淘洗干净, 放入大碗中。
②加入适量清水, 上屉蒸熟, 取出。
③将猪肉洗净, 沥净水分, 剁成末。
④咸蛋煮熟, 切成绿豆大小的粒。

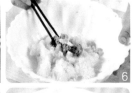

★制法★

⑤将熟糯米放入盆内调拌均匀。
⑥再加入猪肉末和咸蛋粒稍拌。
⑦然后加入酱油、精盐、料酒、白糖、味精拌匀。
⑧放入葱、姜、胡椒粉、熟猪油和香油拌匀即可。

五香羊肉馅

❶ 原料: 鲜羊肉400克, 香葱50克, 净马蹄40克。

❶ 调料: 精盐1小匙, 酱油、沙嗲酱各2小匙, 五香粉、胡椒粉各适量, 香油2大匙。

马蹄、香菜洗净, 切成细粒。

★制法★

羊肉洗净, 剁成均匀的小粒。

锅中加油烧热, 放入羊肉略炒。

加入马蹄, 用小火翻炒均匀。

出锅盛在大碗里, 加入香葱。

加入酱油、沙嗲酱、精盐稍炒。

放入五香粉、胡椒粉炒熟。

调拌均匀即为五香羊肉馅料。

鱼肉馅料

- 原料：净鱼肉350克，猪肥瘦肉75克，口蘑25克。
- 调料：葱末、姜末各5克，精盐2小匙，料酒1大匙，味精1小匙，香油少许。

★ 制 法 ★

将净鱼肉洗净，剁成细蓉。

猪肥瘦肉洗净，也剁成蓉状。

口蘑涨发，洗净，切成小粒。

鱼肉蓉、猪肉蓉一同放入碗中。

加入精盐、料酒、味精拌匀。

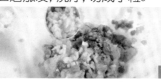

再加入葱末、姜末稍拌。

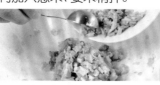

然后放入口蘑粒和香油。

搅拌均匀即成鱼肉馅料。

咖喱牛肉馅

- 原料：鲜牛肉250克，洋葱75克，香葱25克。
- 调料：精盐、白糖、味精各1小匙，酱油1大匙，咖喱粉2小匙，香油适量。

★ 制 法 ★

①将鲜牛肉洗净，沥净水分，先切成粗丝。
②再切成绿豆大小的粒，稍剁几刀。
③洋葱去根和老皮，洗净，切成小粒。
④香葱去根，洗净，切成小粒。

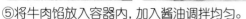

⑤将牛肉馅放入容器内，加入酱油调拌均匀。
⑥再加入精盐、咖喱粉、白糖和味精拌匀。
⑦然后加入切好的洋葱粒和香葱粒稍拌。
⑧再加入香油搅拌均匀即成。

三鲜馅料

● 原料：虾肉200克，猪肉蓉150克，水发海参100克，草菇、竹笋各50克。

● 调料：葱末、姜末各5克，酱油1大匙，精盐1小匙，味精少许，熟猪油、香油各适量。

★ 制　法 ★

①草菇、竹笋分别洗净，切成绿豆大小的粒。

②虾肉洗净，沥净水分，切成小粒。

③水发海参洗净杂质，切成小粒。

④将虾肉、猪肉蓉、海参放入大碗中。

⑤加入酱油、精盐、熟猪油稍拌。

⑥再放入葱末、姜末和味精调匀。

⑦加入草菇粒、竹笋粒拌匀。

⑧放入香油搅拌均匀即可。

鸡肉馅料

● 原料：鸡胸肉400克，猪肥肉100克，水发香菇35克，冬笋30克。

● 调料：姜汁1小匙，酱油2小匙，精盐、料酒、味精、香油各适量。

★ 制　法 ★

鸡胸肉洗净，剁成鸡蓉。 猪肥肉剁成细蓉状。 水发香菇去蒂，切成粒。 冬笋稍煮，切成粒。

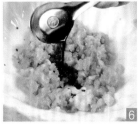

鸡肉、肥肉放入大碗中。 加入酱油等搅拌均匀。 放入香菇、冬笋粒拌匀。 加入味精、香油调匀即成。

腊肉馅料

🔸 原料: 熟面粉200克, 腊肉150克, 芝麻50克。

🔸 调料: 白糖500克, 精盐少许, 饴糖1大匙, 熟猪油50克。

★ 制　法 ★

①将腊肉入屉蒸熟, 取出后切成小粒。
②芝麻放入锅内炒熟, 取出后压成面。
③白糖、熟面粉、叉烧肉粒和芝麻面放入碗中拌匀。
④加入熟猪油, 反复揉搓均匀。

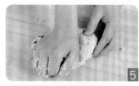

⑤放在案板上, 加入饴糖和精盐揉和均匀。
⑥装入模具内压紧成大块(或揉搓成长方大块)。
⑦将大块切成2厘米宽的条。
⑧再改刀切成大小均匀的小方块即成。

蟹肉馅料

🔸 原料: 螃蟹4个, 猪肥瘦肉200克, 水发香菇30克。

🔸 调料: 葱末10克, 精盐1小匙, 酱油2小匙, 料酒、胡椒粉、鸡精、香油各适量。

★制法★

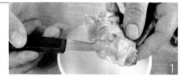

螃蟹洗净, 去壳后取净蟹肉。

水发香菇略焯, 捞出后切成末。

猪肥瘦肉剁成蓉, 放入碗中。

加入蟹肉调拌均匀。

再加入酱油、精盐、料酒稍拌。

然后放入切好的香菇末。

加入葱末、胡椒粉和鸡精调匀。

最后放入香油搅拌均匀即成。

五仁馅料

- 原料：熟面粉250克，猪肥膘肉100克，核桃仁、瓜子仁、松子仁、杏仁、橄榄仁各50克。
- 调料：白糖400克，饴糖120克。

将核桃仁等五仁压成米粒状。 1

猪肥膘肉洗净，剁成肉蓉。 2

3

熟面粉、白糖、五仁粒放入盆内。 3

再放入猪肥膘肉揉搓。 4

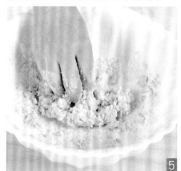

再加入饴糖，反复揉搓均匀。 5

取出放在案板上，继续揉搓。 6

按压成厚1厘米的长方大块。 7

再切成大颗粒即成五仁馅料。 8

★制法★

鸭肉馅料

- 原料：鸭胸肉500克，肥膘肉75克，冬笋50克。
- 调料：葱末10克，姜末5克，精盐、白糖各1小匙，料酒、酱油、植物油各1大匙，五香粉少许，香油2小匙。

 1

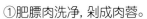 2

①肥膘肉洗净，剁成肉蓉。
②鸭胸肉放入沸水锅内煮至将熟。
③取出过凉，改刀切成米粒大小。
④冬笋洗净，切成小粒。

 3

 4

⑤锅中加油烧热，加入鸭肉、肥肉和冬笋炒散。
⑥放入酱油、精盐、料酒、白糖和五香粉炒匀。
⑦离火出锅，盛在大碗里。
⑧加上葱末、姜末和香油拌匀即可。

 5

 6

 7

8

★制法★

家常主食的 熟制方法

主食熟制是家常主食制作的最后一道工序。主食熟制就是运用各种方法，将成型的生坯加热，使其在热量的作用下发生一系列的变化，成为色、香、味、形具佳的熟制品。

主食熟制方法主要有蒸、煮、炸、煎、烤、炒等单加热法，以及为了适应特殊需要而使用的蒸、煮后煎、炸、烤；蒸、煮后炒或烙等综合加热法。从大多数品种看，仍以单加热为主，这是因为单加热法，有利于保持制品形态完整，馅心入味，内外成熟一致和易于实现爽滑、松软、酥脆等不同的要求。具体采用何种方法，需要根据制品所使用的原料、面团性质、成品规格而定。

蒸

蒸是将成型的生坯放在笼屉内，用蒸汽传导热量的方法使面点制品成熟。蒸制法是面点制作中应用最广泛的熟制法，可使成品膨松柔软、形态完整和馅心鲜嫩等特点。

除油酥面团和碱矾盐面团外，其它面团都可使用蒸制方法，特别适用于膨松面、米粉面和水调面中的热水面等。如馒头、包子、花卷、烧卖、米团、蛋糕类等。

一般蒸制时先把蒸锅内的水烧沸，上大气时，将生坯整齐地摆在屉内，盖紧锅盖，中途不要开盖，根据不同品种调节，掌握火力大小和时间，直至蒸熟。

煮

煮是将成型的主食生坯投入沸水锅内，随煮随搅动，使之受热均匀，盖上盖后烧沸，揭去盖，再用工具轻轻搅动，以防止粘边和粘底，当制品漂浮、包馅原料皮鼓起后，再略加冷水，保持微沸状态续煮片刻直至成熟，捞出即可。煮制品的用水量要比蒸制品多数倍以上，水量多可使制品有受热均匀，不致粘连，并可缩短煮制时间，提高质量。

煮制法的使用范围较广，包括面团制品和米类制品两大类，如饺子、面条、馄饨、元宵等。

炸

炸是按照制品的要求，用温油、热油或旺油将制品炸制成熟的一种方法。油温的高低对制品有重大影响，火候小、油温低，炸出的制品比较软嫩、色泽淡雅，但耗油量大；反之成品一般松脆、色泽金黄，但如油温过高，制品容易炸焦，或发生外焦里不熟的现象。几乎各类面团都可以用炸，但主要用于油酥面团、碱矾盐面团、米粉面团等制品。

炒

炒虽然是制作炒菜常用的技法，但同时也是制作主食的熟制方法之一。用于制作主食的炒法主要为熟炒，是先将经过初步熟处理的食材，如米线、面条、米饭等，再放入烧热的油锅内，加上配料和调味料炒至成熟。

很多米饭、面条、米粉类食材，都可以用炒的方法加工制作，其口味或清香、或浓郁，有着独特的风味。

炒制各种主食时需要注意，因为主食的品种一般都是熟料，所以炒制时一般用旺火速炒，要求时间要短。

煎

煎又分为油煎和水油煎两种。油煎是将煎锅置火上烧热，将油均匀地布满锅底，放入生坯，先煎一面，煎到一定程度，翻面再煎另一面，至两面都呈金黄色即可；水油煎是把煎锅置火上，只在锅底抹少许油，烧热后将生坯从锅的外围整齐地码向中间，稍煎一会儿，然后洒几次清水(或与油混合的水)，洒水后盖紧盖，用水蒸气焖熟制品。

煎制时需要注意油温不要过高，并且用中火煎制，以防煳底。另外将生坯放入平锅内，应先从平锅四周码起，逐步码向锅中心，这样可以防止焦嫩不均的现象。

烙

烙是用平锅、煎盘、铁铛等置火上，经金属传热使制品成熟的一种方法。烙与煎相似，只是用油量少或不用油。烙可分为干烙、刷油烙和加水烙三种。干烙是把平锅置火上烧热，直接放入制品，烙完一面，再翻个烙另一面，如此反复数次直至成熟。

刷油烙与干烙方法基本相同，只是在烙的过程中，或在锅底刷少许油，或在制品表面刷少许油，但油量要比煎少；加水烙：做法与水油煎法近似，是在干烙以后洒水焖熟，只烙一面，即把一面烙成焦黄色即可。

烙适用于水调面团、发酵面团、米粉面团、粉浆面团等，如大饼、火烧、发面饼、山东煎饼等。

烤

烤是制作主食常用的技法之一，是利用烘烤炉内的高温，将制品加热烤熟。烤主要有两种做法，一是将制品贴在炉壁上烤制；另一种是将制品放入烤盘置于烤炉中烤制成熟。家庭中以第二种方法应用广泛，具体制法是将烤盘擦净，将制品生坯整齐地码放在盘内，在制品表面刷上糖稀、蛋液等着色剂或油，调节好炉温，将烤盘放入炉内，根据制品需要的烤制时间，烤制成熟即可。

烤制主要适用于各种膨松面、油酥面制品，如面包、蛋糕和各式点心等。

烘烤火候的掌握，比其它技法要复杂，烤制时要求火力要适中、平稳，这样才能上色良好，成熟彻底。此外烤制时，大多数制品都采用先高后低的调节方法，即入炉时炉火要旺，炉温要高，待外壳上色后，就要降低炉温，使制品内部慢慢成熟。

家常主食的 九大品种

米饭在分类上有很多种, 如按照原料的品种分为粳米饭、糯米饭、黑米饭、杂米饭、小米饭、什锦饭等; 按米饭搭配的原料, 可以分为清饭、菜饭、肉饭、果饭等。而一般家庭中我们按照米饭熟制的方法, 将米饭分为蒸饭、炒饭、烩饭、盖饭等。

米饭

竹筒鲜虾蒸饭

● 原　料: 大米75克, 鲜虾2只, 香葱10克。

● 调　料: 精盐、味精各1/2小匙, 胡椒粉适量, 料酒1大匙, 高汤3大匙。

制作步骤

① 大米淘洗干净; 香葱择洗干净, 切成葱花。

② 精盐、味精、料酒、胡椒粉、高汤放入碗中成汁。

③ 鲜虾洗净, 沥干水分, 剪去虾枪, 从背部剖一刀, 挑除沙线。

④ 将大虾放入碗中, 加入少许精盐、料酒拌匀, 腌制10分钟。

⑤ 取竹筒1个, 用清水洗净, 放入沸水锅内烫一下, 捞出擦净水分。

⑥ 装入淘洗好的大米, 加入适量清水(没过米面1厘米), 盖严竹筒盖。

⑦ 蒸锅置火上烧煮至沸, 放入竹筒, 用旺火蒸约45分钟, 取出。

⑧ 揭开竹筒盖, 摆上鲜虾, 均匀地洒上调好的味汁, 盖上盖。

⑨ 再将竹筒放入蒸锅中, 用旺火蒸约15分钟, 取出后撒上香葱花, 上桌即可。

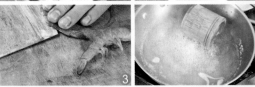

米饭秘诀

　　蒸饭或者焖饭时, 可以在水中加几滴植物油或熟猪油, 不仅饭烂松散、味香, 还不会煳锅底。

　　蒸煮米饭时, 可以放入少许的麦片(或豆类)一起蒸煮, 成熟米饭不但好吃, 而且营养丰富。

米粥在传统营养学上占有重要地位,具有制作简便、加减灵活、适应面广、易于消化吸收的特点,被誉为"世间第一补人之物"。粥的种类很多,林林总总统计起来也有上千种,如以原料不同可有米粥、面粥、麦粥、豆粥、菜粥、花卉粥、果粥、乳粥、肉粥、鱼粥及药粥等;以口味上可分为白粥,甜粥,咸粥。

桂花糖藕粥

● 原　料: 鲜藕200克,糯米150克,花生、大枣各50克。

● 调　料: 白糖100克,桂花酱3大匙。

制作步骤

①糯米用清水淘洗干净,再放入清水中浸泡。

②大枣去核、洗净;花生洗净,剥去外膜。

③鲜藕去藕节,漂洗干净,削去外皮,切成圆片。

④锅中加入清水烧沸,放入藕片焯烫,捞出过凉。

⑤锅中加入清水和藕片,用小火煮熟,撇去浮沫。

⑥加入白糖,转旺火煮至浓稠,离火出锅,盛放在碗中成糖藕。

⑦锅中加入适量清水烧沸,放入泡好的糯米煮至米粒开花。

⑧放入花生、大枣搅匀,用小火煮约20分钟至糯米熟烂。

⑨再加入糖藕、桂花酱稍煮片刻,出锅装碗即可。

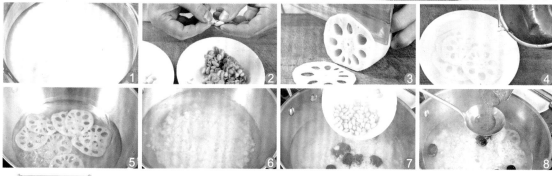

米粥秘诀

米是熬粥的基本原料,一定要选择当年新鲜、无泥土、无杂质的新米。陈仓烂谷不仅没有营养价值,还会影响身体健康,发霉的谷物所产生的黄曲霉菌是重要的致癌物质,因此不能图便宜,图省事,影响健康。

大家的普遍共识都是冷水煮粥,而真正的行家里手却是用开水煮粥,为什么?你肯定有过冷水煮粥糊底的经验吧?开水下锅就不会有此现象,而且它比冷水熬粥更省时间。

煮粥的火候是关键,有武火(大火、急火),文火(小火)之别,必须注意掌握,火候不足则香味不出,太过则气味衰退。一般熬粥要先用大火煮沸,再转小火熬煮30～60分钟,让粥汤小滚至熟。别小看火的大小转换,粥的香味正是由此而出。

面条在分类上与米饭有相近之处，其品种也有很多种，如按原料的品种和搭配不同分为普通面条、鸡蛋面条、菜汁面条、碱水面条等。按面条成型后的宽细，分为龙须面、细面条、中面条和宽面条等；而现在我们一般可以按照面条熟制的方法分为拌面、炒面、烩面、汤面等。

番茄面

●原　料：面条150克，猪瘦肉、鲜虾仁、鲜鱼肉各25克，香菇4个，番茄1个。

●调　料：精盐、味精、白糖、料酒、清汤、水淀粉、香油、熟猪油各适量。

制作步骤

①番茄洗净，放入沸水锅内稍烫，捞出去皮，切丁。
②香菇用清水泡软，捞出去蒂，洗净，切成小丁。
③猪肉剔去筋膜，剞上浅十字花刀，再切成丁。
④虾仁去虾线，洗净；鲜鱼肉洗净，切成小丁。
⑤锅中加入清水烧沸，放入肉丁、鱼丁、虾仁焯烫一下，捞出。
⑥锅中加入清水烧沸，下入面条煮熟。
⑦捞出过凉，放入碗内，加入熟猪油、料酒拌匀。
⑧锅中加入熟猪油烧热，下入番茄丁煸炒至软。
⑨放入肉丁、虾仁、香菇丁、鱼肉丁炒匀，加入清汤、精盐、白糖烧沸，用水淀粉勾芡，淋入香油，盛入面条碗中即可。

面条秘诀

揉面才是决定面条好不好吃最关键的一步，而且不是有劲就能揉好面，要揉出光洁细腻、无洞无痕的面团，手法才是关键。其基本步骤是一前一后往下揉，然后搓面往里转。手法得当的话，15分钟就能揉出一团好面。

擀面时需要注意双手用力要均匀，擀得厚薄一致就好，这样下锅才会同时熟。为了不粘到案板和擀面杖，隔一段时间就要往面片上撒一些面粉。

煮干切面时不宜用旺火，因为干切面本身很干，用旺火煮制时水太热，面条表面形成黏膜，水分不容易向里渗透，热量也无法向里传导。同时由于旺火使水沸腾，面条上下翻滚，互相摩擦，容易糊化，这样煮出的面条容易发黏、硬心。如果用小火煮制，就容易让水和热量向面条内部传导，既可将面条煮透、煮熟，也不糊汤。

面饼是以面粉加水制成扁圆、扁椭圆等形状,再用烤、烙、煎、炸、摊、蒸等方法加工使之成熟。根据不同品类的要求,面饼的制作方法区别很大,其主要表现在面团、馅料和成熟方法上,而面饼的种类也由此产生。按面团加以区分,面饼分为水调面团、发酵面团、油酥面团等。按口味上可分为咸味和甜味两大类。

● 原　料：中筋面粉500克,猪五花肉250克,大葱150克。

● 调　料：姜末5克,精盐、味精各1小匙,鲜汤150克,植物油200克。

◎ 制作步骤

①面粉加入适量的清水调匀,揉成面团,用湿布盖严,饧30分钟。

②大葱去根和老叶,洗净,沥去水分,切成细末。

③猪五花肉剔去筋膜,洗净,切成黄豆大小的粒。

④再用刀背剁成蓉,放入容器内,加入鲜汤调匀。

⑤加入葱姜末、精盐、味精、植物油拌匀成馅料。

⑥将饧发好的面团分成两大块,擀成长方形大面皮,抹上馅料。

⑦分别由左至右叠成4层,将两边压紧成生坯。

⑧平锅加入植物油烧热,下入肉饼生坯烙至两面呈黄色。

⑨继续烙2分钟至色泽金黄且熟透,出锅切小块,装盘即可。

风味夹肉饼

面饼秘诀

面饼熟制的方法有很多,但其中以烙的方法为佳,虽然用铁锅烙饼,一次烙得少,比较耗时和费气,火候也不太好把握,需要人不离左右看守。但一流的口感还是来自于用厚实的铁锅烙制。

一般制作面饼的面团要软一些,冬季一般用温水,夏季可以使用凉水,和面时要揉匀揉顺,最少饧20分钟以上;此外烙饼的火候要适中,火不宜过旺,以免烙糊,或出现外焦里生的现象。

制作葱油饼时,可以用爆香过后的葱取代一般的生葱;煎烙葱油饼时也可以将锅内的油先以葱爆香,成品的香气与滋味绝对都会大大加分。

馒头是我国人民的传统主食，属方便食品。它一般是由小麦面粉经发酵蒸制而成，具有色白光滑、皮软而内部组织膨松、口感松软而具有一定筋力，风味微甜而带有特殊的发酵香味、营养丰富而价格低廉等特点，特别适合于中国人的饮食习俗，因此无论何种新食品的流行也不能替代馒头的主食地位。

  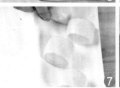 

金银馒头

●原　料：高筋面粉200克，低筋面粉150克，酵母粉5克。

●调　料：白糖1大匙，炼乳、植物油各适量。

制作步骤

①酵母粉放入盆内，加入清水搅至酵母粉完全溶化，再加入白糖搅至溶化。

②放入高筋面粉和低筋面粉揉成面团，盖严湿布饧30分钟。

③取出炼乳，倒入小碟内，上屉用旺火蒸3分钟，取出待用。

④将发酵面团用擀面杖由中间向外擀成大片。

⑤由上至下卷起、压实，切成小段成馒头生坯。

⑥馒头生坯静置发酵30分钟，摆在刷有少许植物油的箅子上。

⑦蒸锅加入清水烧沸，放入馒头生坯，用中火蒸10分钟至熟。

⑧取出馒头，取一半放在大盘内，另一半在表面剞一字刀。

⑨放入热油锅中炸至呈金黄色时，捞出沥油。

⑩码放在大盘的另一边，带炼乳一起上桌即可。

馒头秘诀

许多人爱用热水或沸水蒸馒头，以为这样开得快，其实这并不科学。因为生冷的馒头遇到热气，表面粘结，容易使成品夹生，因此蒸馒头勿用热水。

发好的面团如果觉得有酸味，可以加一点碱面中和，一般只要不是发得太过，不加也没关系。此外蒸馒头的过程中不要掀开锅盖；蒸好后也不要急于掀开锅盖，焖十分钟再掀盖，可以防止馒头塌陷。

花卷可称为层卷馒头，是面团经过揉压成片后，不同面片相间层叠或在面片上涂抹一层辅料，然后卷起形成不同颜色层次或分离层次，也有卷起后在紧裹扭卷或折叠造型制成各种花色形状，然后饧发和蒸制而成。花卷口味独特，比单纯的两种或多种物料简单混合更能体现辅料的风味。

银丝卷

●原　料：面粉1000克，酵母粉15克。
●调　料：白糖200克，熟猪油适量，植物油400克。

制作步骤

①将酵母粉放入小碗内，加入少许温水调拌均匀成酵母水。

②面粉放入盆内，加入熟猪油、白糖、酵母水和少许清水调匀。

③搓揉均匀制成发酵面团，用湿布将面团盖严，饧约30分钟。

④取1/3发酵面团搓条，下成剂子，擀成中间稍厚的长方片。

⑤余下的发酵面团用擀面杖擀成大薄片，用快刀切成细丝。

⑥均匀地刷上少许植物油，再切成长约8厘米的小段，分成小份。

⑦面皮放在案板上，中间放1份面丝，从一边卷起后成生坯。

⑧银丝卷生坯饧30分钟，放在刷有适量植物油的箅子上。

⑨蒸锅置火上烧沸，放入银丝卷生坯。

⑩用旺火蒸约12分钟至熟，取出码放在盘内即可。

花卷秘诀

家庭和面时如果没有酵母，可用适量的蜂蜜代替，一般每500克面粉需要加入蜂蜜15~20克。面团揉软后，盖湿布饧约4~6小时即可发起。用蜂蜜替代酵母发面蒸出的馒头、花卷松软清香，入口回甜。

蒸花卷时，如果面团似发非发，可在面团中间挖个小坑，倒进两小杯白酒，饧10分钟后，面就发开了。

花卷上笼蒸煮时，一般要经过饧面，冬季饧面约20分钟，夏季则短些。此外笼屉与锅口相接处不能漏气，有漏气处须用湿布堵严。

包子是用面做皮，用菜、肉或糖等制作成馅心，用面皮将馅心包起来而得包子之名。传统上我们可以将不带馅的称作馒头，而在我国江南的有些地区，馒头与包子是不分的，他们将带馅的包子称作肉馒头。包子大小依据馅心的大小而不同，最小的称作小笼包，其他依次为中包、大包等。

山东包子

● 原　料：猪五花肉1000克，面粉、大白菜各500克，粉丝50克，酵母粉10克。

● 调　料：葱末、姜末、胡椒粉、香油各适量，精盐、味精各1小匙，甜面酱、白糖各2大匙，酱油1大匙，高汤240克。

制作步骤

①白菜洗净，切成碎粒，用精盐稍腌，挤净水分。

②粉丝用温水洗净、泡软，捞出沥水，切成小段。

③面粉加入酵母粉、白糖拌匀，用清水调成面团。

④用湿布盖严，饧20分钟，去掉湿布，揉搓均匀。

⑤猪五花肉洗净，擦净表面水分，切成小丁。

⑥锅中加油烧热，下入猪肉丁用中火煸炒至变色。

⑦加入精盐、味精、胡椒粉、酱油炒熟，盛出。

⑧白菜、粉丝、肉丁放入盆内，加入葱末、姜末拌匀成馅料。

⑨面团揉搓均匀，每100克下一个面剂，擀成大圆片，放入馅料，包成包子形状。

⑩饧30分钟，上屉用旺火蒸15分钟至熟即可。

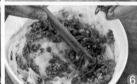
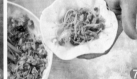

包子秘诀

　　包子的面要比馒头软一些，软面延展性好，可以包入更多的馅料，但面团也不宜太软，太软的面团虽然可以包入更多的馅料，但不易于成型。

　　有些人在制作茴香馅的包子时，常把茴香烫一下再制馅，其实这是没有必要的。茴香馅料要具有茴香特有的风味和口味，而烫过的茴香不仅口味丧失，而且其中的营养素也流失不少。

　　在调制肉类馅料时，甜面酱是一味非常好的调味剂，加入甜面酱的馅料口味会更加滋润，并且也可以有效去掉肉的油腻感觉。

饺子是一种历史悠久的民间吃食，深受大众的欢迎，民间有"好吃不过饺子"的俗语。饺子源于古代的角子。饺子原名"娇耳"，相传是我国医圣张仲景首先发明的，距今已有一千八百多年的历史了。饺子多以冷水和面粉加工成面团，制成小面剂后擀成皮，包入各种馅料后加工成生坯，用煮、蒸等方法加工成熟。

 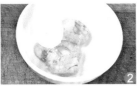  

● 原　料: 猪五花肉200克，澄面150克，虾仁、韭菜、香菜各100克，淀粉50克

● 调　料: 精盐、味精、胡椒粉、香油各适量，生抽1大匙，熟猪油少许，高汤175克。

🥢 制作步骤

① 韭菜、香菜分别择洗干净，沥净水分，均切成碎末。

② 虾仁洗净，切粒，加入少许精盐、味精拌匀。

③ 猪五花肉洗净，剁成肉蓉，加入精盐拌匀。

④ 再加入生抽、味精、胡椒粉、香油、虾仁、韭菜、香菜末搅匀。

⑤ 澄面加入淀粉和熟猪油拌匀，再倒入少许沸水烫熟。

⑥ 不断搓拌均匀成团，晾凉后揉搓均匀成澄面面团。

⑦ 分成2大块，放在案板上，搓成长条，每15克下一个面剂。

⑧ 用拍皮刀拍成薄片，包入馅料，捏成鸡冠状成蒸饺生坯。

⑨ 蒸锅加入清水烧沸，放入蒸饺生坯蒸5分钟至熟，装盘即可。

水晶蒸饺

饺子秘诀

　　做素馅饺子时，馅特别容易散。家庭可以在拌馅的时候，放一些鸡蛋清，让馅有一定的黏度，就不容易散了。

　　制作饺子馅料时，往往要将饺子馅中的水分挤出，既费事又损失营养。若用适量油将切好的白菜等含水多的菜馅拌匀，再与调好的肉馅搅拌，菜馅有油脂包裹，用盐拌和也不易出水。

　　煮饺时应注意 一次放饺子的数量要根据锅的大小和炉火的情况而定，如果火不旺，则应适当少放，否则饺子煮的时间长，皮易破。

糕团

糕团是用糯米、粳米、小米、黄米等为主料,先研磨成粉状,再调制成粉团,包入各种馅料(有些糕团不包馅料)成形,再用多种熟制的方法,如蒸、煎、烤、炸等加工成熟即可,成品具有色泽鲜艳,入口软糯,香甜细腻等特点。糕团的品种非常多,一般分为糕类制品、团类制品、发酵类制品三类。

驴打滚

● 原　料:糯米粉1000克,豆馅750克,黄豆150克,桂花25克。

● 调　料:红糖150克。

制作步骤

①将黄豆择去杂质,用清水浸泡,捞出沥干,打成黄豆面。

②放在烤盘上,入预热的烤箱内,用200℃烤10分钟,取出。

③锅中加少许清水和红糖熬至溶化,出锅加入桂花对成汁。

④糯米粉过细罗,放入盆内,倒入适量清水和匀,揉成糯米团。

⑤蒸锅加入清水烧沸,铺上湿屉布,倒入和好的糯米面团。

⑥再把锅盖盖严,用旺火蒸约40分钟,取出糯米面团晾凉。

⑦糯米粉团沾上黄豆面,擀成长方形大片,再抹上豆馅。

⑧卷起成圆筒形,切成小块,装盘,浇上红糖桂花汁即可。

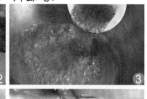

糕团秘诀

调制冷水面团的糕团时要用冷水,即使冬季也只能用30℃以下的微温水,对于夏季,不但要用冷水,还要加入少许精盐,以防糕团"掉劲"。

在制作糕团的面团时掌握好掺水比例,掺水量主要根据制品的需要而定,一般来说,粉料和清水的比例为2∶1,并且水要多次掺入,防止一次吃不进而外溢。

调制好的糕团面团,要用湿布盖好,以防止风干造成结皮现象,并静置一段时间,使面团充分吸水,以提高面团的弹性和滋润性,使成品更加爽口,一般为10~15分钟。

第3天
营养米粥熬出来

大枣银耳粥

熬煮
香甜软烂

原料 大米75克，银耳25克，莲子、枸杞各15克，大枣2枚。

调料 冰糖50克。

准备工作

❶ 大枣洗净，用温水浸泡至软，取出去核；枸杞洗净、泡软。

❷ 莲子洗净，放入清水中浸泡1小时，剥去外膜，去掉莲心，放入沸水锅中焯烫一下，捞出沥水。

❸ 银耳泡发回软，去蒂，洗净，撕成小块，放入沸水锅中焯烫一下，捞出沥净水分。

制作步骤

❶ 大米淘洗干净，放入锅内，加入适量清水煮沸。

❷ 转小火熬煮约30分钟至米粥近熟，放入银耳、大枣、莲子。

❸ 续煮至大米熟烂，放入枸杞、冰糖煮至黏稠，即可出锅装碗。

  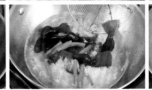 

原料 大米150克，油条1根，小西红柿、西蓝花、胡萝卜、海带结各适量。

调料 姜末10克，精盐、味精各1/2小匙，高汤1000克。

准备工作

❶ 大米淘洗干净，用清水浸泡片刻，捞出沥水。

❷ 油条切成小段；小西红柿去蒂，洗净，一切两半；西蓝花洗净，掰成小朵。

❸ 胡萝卜洗净，切条；海带用冷水浸泡，洗净。

❹ 锅中加入适量清水烧沸，放入胡萝卜、海带结焯烫一下，捞出。

制作步骤

❶ 锅置火上，加入适量清水，放入姜末、大米，用旺火煮沸。

❷ 再添入高汤，放入小西红柿、西蓝花、胡萝卜条、海带结煮匀。

❸ 然后改用小火煮至米粥黏稠且熟，再放入油条段搅拌均匀。

❹ 再加入精盐、味精调好口味，出锅装碗即可。

蔬菜油条粥

熬煮
鲜香绵软

原料 大米、烟肉各100克，白菜200克，芹菜50克。

调料 葱花5克，精盐1/3小匙，味精1/2小匙，胡椒粉少许，料酒1大匙，高汤250克，植物油2大匙。

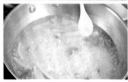 

准备工作

❶白菜去根和老叶，洗净，切成长条，放入沸水锅中焯透，捞出过凉。

❷芹菜择洗干净，切成绿豆大小的粒。

❸锅置火上，加入植物油烧至六成热，放入烟肉稍煎片刻。

❹烹入料酒，煎至烟肉两面呈金红色、熟透时，出锅切块。

制作步骤

❶大米淘洗干净，沥去水分，放入清水锅内煮沸，撇去浮沫。

❷转小火煮成米粥，再加入烟肉、白菜和芹菜搅匀。

❸加入适量高汤、精盐、味精、胡椒粉，继续煮至米粥黏稠时。

❹撇去浮沫，撒上葱花拌匀，出锅装碗即成。

烟肉白菜粥

熬煮
鲜香软烂

香蕈养生粥

熬煮
清香甜润

原料 糯米300克,鲜香菇100克,枸杞、大枣各50克。

调料 白糖3大匙,糖桂花1小匙。

准备工作

❶糯米放入清水盆中淘洗干净,再放入清水中浸泡3小时。

❷枸杞用温水泡软、洗净;大枣去核,洗净。

❸香菇去蒂,洗净,用淡盐水浸泡片刻,捞出。

❹锅中加入清水烧沸,放入鲜香菇焯烫一下,捞出过凉,攥净水分,切成丝。

制作步骤

① 锅中加入清水烧沸,放入糯米再次煮沸。

② 下入香菇丝,转小火煮约30分钟至米粒开花,撇去浮沫。

③ 放入大枣、枸杞煮约10分钟至糯米熟烂浓稠。

④ 加入白糖搅拌均匀,撒上糖桂花,出锅盛入碗中即成。

原 料 大米200克，鲜虾150克，菠菜50克。

调 料 葱段、姜片、八角、精盐各适量。

准备工作

❶大米淘洗干净，用清水浸泡1小时，捞出沥干。

❷菠菜择洗干净，切成小段，用加有少许精盐的沸水略焯，捞出过凉，沥干水分。

❸鲜虾去壳，从背部片开，挑去泥肠，冲洗干净，再放入清水锅中，加入葱、姜、八角烧沸，用小火煮至五分熟，捞出沥干。

制作步骤

❶净锅置火上，加入适量清水，先下入大米，用旺火煮沸。

❷再转小火煮至米粥将熟。

❸然后放入虾仁、菠菜段续煮至粥熟。

❹再撇去浮沫，加入精盐调匀，出锅装碗即可。

虾仁菠菜粥 熬煮 清香鲜咸

苦瓜皮蛋粥

熬煮
清香苦甜

原料 大米150克，苦瓜50克，松花蛋1个。

调料 大葱、姜块各15克，精盐、冰糖、香油各适量。

准备工作

❶ 将大米淘洗干净，放入清水中浸泡2小时，捞出沥干。

❷ 松花蛋去除外壳腌料，洗净，上屉用旺火蒸10分钟，取出。

❸ 剥去松花蛋外壳，切成小丁；大葱、姜块洗净，切成细末。

❹ 苦瓜洗净，沥去水分，去瓜瓤及子，切成片。

❺ 放入沸水锅中焯烫一下，捞出沥干，切成粒。

制作步骤

❶ 坐锅点火，加入适量清水烧沸，下入大米用小火煮至粥将熟。

❷ 放入苦瓜粒、松花蛋、冰糖、精盐续煮约5分钟。

❸ 撒入葱花、姜末搅匀，淋入香油，出锅装碗即可。

南瓜百合粥

熬煮
软嫩香滑

原料 大米200克, 南瓜150克, 百合100克。

调料 精盐、味精各1/3小匙, 香油1小匙。

准备工作

❶ 南瓜去皮, 切开后去瓤, 洗净, 切成块。

❷ 用沸水焯烫一下, 捞出过凉, 沥净水分。

❸ 大米淘洗干净, 放入清水盆内浸泡30分钟, 捞出沥干。

❹ 百合去根, 剥去外皮, 用淡盐水浸泡, 洗净。

❺ 掰成小瓣, 放入沸水过中焯烫一下, 捞出用冷水过凉、沥干。

制作步骤

❶ 锅置火上, 加入适量清水, 下入大米烧沸。

❷ 再转小火煮约30分钟至大米近熟, 放入南瓜块续煮至熟。

❸ 然后放入百合瓣, 转中火煮5分钟至汤汁黏稠。

❹ 再加入精盐、味精调好口味, 淋入香油, 出锅盛入大碗内即可。

原　料　红薯250克，大米200克，油菜50克。

调　料　精盐、熟猪油各适量。

⊙ 准备工作

❶ 大米淘洗干净，用清水浸泡1小时，捞出沥干。

❷ 油菜去根和老叶，洗净，切成3厘米长小段。

❸ 放入加有少许熟猪油的沸水中焯烫一下，捞出过凉、沥水。

❹ 红薯洗净，削去外皮，切成滚刀块，放入沸水锅中焯烫一下，捞出过凉、沥水。

⊙ 制作步骤

❶ 锅中加入适量清水，放入大米用旺火烧沸。

❷ 转中火煮至六分熟，放入红薯块，用小火煮约10分钟至粥熟。

❸ 加入熟猪油、精盐，放入油菜搅拌均匀，即可出锅装碗。

红薯香粥

熬煮 清香味浓

猪血粥

原料 大米150克, 猪血200克。

调料 葱花、精盐、味精、香油各适量。

制作步骤

❶ 将大米淘洗干净; 猪血洗净, 切成小块, 放入清水中浸泡片刻。

❷ 坐锅点火, 加入适量清水烧开, 先放入大米熬煮成粥, 再放入猪血煮沸。

❸ 然后加入精盐、味精调好口味, 撒上葱花, 淋入香油, 即可出锅装碗。

大枣山药粥

原料 大米100克, 大枣10枚, 山药10克。

调料 冰糖2大匙。

制作步骤

❶ 将大米淘洗干净; 红枣洗净; 山药去皮, 洗净, 切成片。

❷ 将大米、山药、红枣放入锅中, 加入适量清水烧沸, 再转用小火煮至米烂成粥。

❸ 将冰糖放入锅内, 加入少许清水, 熬成冰糖汁, 再倒入粥锅中, 搅匀即可。

荷叶玉米须粥

原料 大米100克, 鲜荷叶1张, 玉米须30克。

调料 冰糖少许。

制作步骤

❶ 将大米淘洗干净; 鲜荷叶洗净, 切成3厘米见方的块; 玉米须洗净。

❷ 将鲜荷叶和玉米须放入锅中, 加入适量清水烧沸, 再转用小火煮15分钟, 去渣留汁待用。

❸ 将大米、荷叶汁放入锅中, 加入冰糖及适量清水, 用旺火烧沸, 再改用小火煮至米烂成粥, 即可装碗上桌。

北菇粒虾球粥

原料 大米250克，虾仁100克，北菇2朵。

调料 大葱15克，精盐1小匙，味精1小匙，香油2小匙，胡椒粉1小匙。

制作步骤

1 将北菇去蒂，放入清水中泡软，捞出冲净，切成小块；大米淘洗干净，放入清水中浸泡2小时。

2 将大葱择洗干净，切成2厘米长的小段；虾仁、北菇放入开水中稍烫，捞出。

3 将大米放入锅中，加入适量清水煮成米粥，再放入虾仁、北菇、葱段煮约10分钟。

4 然后加入精盐、味精、香油、胡椒粉调好口味，即可出锅装碗。

山楂黑豆粥

原料 黑豆50克，大米100克，山楂15克。

调料 冰糖少许。

制作步骤

1 将山楂洗净，去核，切成小片；黑豆洗净，放入清水中浸泡6小时；大米淘洗干净，放入清水中浸泡4小时。

2 将大米、黑豆、山楂、冰糖一同放入铝锅中，加入适量清水，先用旺火烧沸。

3 再转小火煮约40分钟，待米粒开花时，即可出锅装碗。

莲子百宝糖粥

原料 莲子50克，百宝粥料100克。

调料 白糖适量。

制作步骤

1 将莲子用温水浸泡至软，去蕊；百宝粥料淘洗干净，放入清水中浸泡2小时。

2 将百宝粥料放入锅中，加入适量清水，先用大火烧沸。

3 再放入莲子，改用小火煲约1小时至米烂成粥，然后加入白糖煮至溶化，即可出锅装碗。

熬煮
清香软糯

雪梨青瓜粥

原料 糯米稀粥250克，雪梨1个，青瓜(黄瓜)1条，山楂糕1块。

调料 冰糖1大匙。

制作步骤

❶ 雪梨削去果皮，去掉果核，用清水洗净，切成小块。

❷ 青瓜刷洗干净，沥净水分，改刀切成小条；山楂糕切成小条。

❸ 锅置火上，倒入稀粥烧煮至沸，先下入雪梨块、青瓜条和山楂条稍煮。

❹ 加入冰糖搅拌均匀，煮至完全溶化，离火出锅，盛放在碗内即成。

熬煮
甜香软嫩

核桃木耳粥

原料 大米100克，核桃仁20克，黑木耳5克，大枣5枚。

调料 冰糖20克。

制作步骤

❶ 将黑木耳放入温水中泡发、去蒂，除去杂质，撕成小瓣；大枣、核桃仁均洗净。

❷ 大米淘洗干净，放入清水中浸泡2小时。

❸ 将黑木耳、大米、大枣、核桃仁一同放入锅中，加入适量清水，先用旺火烧开。

❹ 再改用小火炖熟，待黑木耳熟烂、大米成粥后，加入冰糖搅匀即成。

豆芽肉粥

原料 大米400克，牛肉、绿豆芽各300克，香菜末适量。

调料 葱花、精盐、生抽、胡椒粉、淀粉、白糖、植物油各适量。

制作步骤

① 将大米洗净，用精盐拌匀，倒入沸水锅中煮成粥；绿豆芽洗净，用热油炒香，放入粥锅中同煮。

② 将牛肉洗净，剁成肉泥，加入精盐、白糖、生抽、植物油、淀粉拌匀，团成丸子。

③ 待粥煮至将熟时，放入牛肉丸子同煮至熟，撒入香菜末、葱花和胡椒粉调匀，即可装碗上桌。

熬煮
咸鲜软嫩

蘑菇肉粥

原料 大米250克，猪瘦肉60克，鲜蘑菇50克。

调料 精盐、味精、香油各适量。

制作步骤

① 将蘑菇去蒂、洗净，切成末；猪瘦肉洗净，切成碎末。

② 坐锅点火，加入适量清水，先放入大米、蘑菇煮至粥将熟时，再下入猪瘦肉续煮至粥稠，然后淋入香油，撒入精盐、味精，调匀即成。

金银黑米粥

原料 黑米100克，金银花20克。

调料 砂糖适量。

制作步骤

① 将黑米淘洗干净，放入清水浸泡4小时；金银花用温水浸泡，洗净。

② 锅中加入适量清水，放入黑米、金银花煮开，再改用小火煮约40分钟至米烂粥熟。

③ 然后加入适量砂糖煮至溶化，即可出锅装碗。

熬煮
香甜软烂

熬煮
咸鲜嫩滑

熬煮
软嫩鲜香

雪蛤杞子黑米粥

原料 黑米100克，雪蛤30克，枸杞10克。

调料 老姜1小块，冰片糖适量。

制作步骤

❶ 将黑米淘洗干净，放入清水中浸泡5小时；枸杞洗净，用清水浸泡1小时。

❷ 将雪蛤用温水浸泡2小时，洗净；老姜去皮，洗净，切成小片。

❸ 将黑米、枸杞子一同放入锅中，加入适量清水烧开，再改用慢火煮30分钟。

❹ 然后放入雪蛤、姜片，继续煮约30分钟，再加入冰片糖煮至溶化，即可出锅装碗。

熬煮
咸鲜软嫩

什锦烤麸粥

原料 大米200克，大麦米80克，烤麸50克，花生仁、香菇各适量。

调料 葱花少许，精盐1/2小匙，鸡精1小匙。

制作步骤

❶ 大米淘洗干净，用清水浸泡30分钟；大麦米淘洗净，浸泡8小时。

❷ 烤麸涨发至回软，洗净，切成小块；香菇用温水泡发回软，去蒂后洗净，切成抹刀片。

❸ 锅中加入大米、大麦米及清水烧沸，再下入烤麸、花生仁、香菇，加入精盐、鸡精，转小火慢煮1小时至米粥黏稠，撒上葱花，出锅装碗即可。

蒲菜粥

原料 嫩玉米粒100克，蒲菜150克。

调料 精盐少许。

制作步骤

❶ 将蒲菜去除老皮，用清水洗净，下入沸水中焯烫至透，捞出冲凉，切成细末；玉米粒淘洗干净，放入清水中浸泡2小时。

❷ 坐锅点火，加入适量清水，放入玉米粒用旺火煮沸。

❸ 再放入蒲菜，改用小火续煮至粥成，然后加入精盐调好口味，即可出锅装碗。

熬煮
咸鲜清香

桃仁杞粥

原料 大米150克，核桃仁、枸杞子各30克。

调料 白糖适量。

制作步骤

1 将大米淘洗干净，放入清水中浸泡4小时；核桃仁、枸杞子分别用清水洗净。

2 将枸杞子、核桃仁、大米一起放入锅中，加入适量清水，先用旺火烧沸。

3 再改用小火煮至米烂成粥，然后撒入白糖调匀，即可出锅装碗。

熬煮
香甜软嫩

熬煮
香甜适口

熬煮
鲜香软嫩

及第米粥

原料 大米400克，干贝25克，猪肝100克，猪粉肠250克，猪腰2个，猪心1个，肥瘦猪肉150克。

调料 葱花、精盐、味精、淀粉各少许。

制作步骤

1 将干贝用温水浸发，洗净，撕成细丝；猪肝、猪腰、猪心分别洗涤整理干净，切成片；猪粉肠洗净。

2 猪肉洗净，切碎剁烂，加入少许淀粉拌匀，捏成小肉丸；大米淘洗干净，加入少许精盐稍腌一下。

3 坐锅点火，加入适量清水，用旺火烧沸，先放入大米、干贝和猪粉肠煮至粥将熟，捞出猪粉肠，切成片，再连同其他生料一起放入粥内，待烧至熟透，加入精盐、味精，撒上葱花即成。

三米粥

原料 玉米200克，黑米200克，薏米100克。

调料 冰糖适量。

制作步骤

1 黑米、薏米、玉米用清水洗净，放入清水中浸泡3小时。

2 将黑米、薏米、玉米一同放入锅中，加入适量清水，用大火煮沸。

3 再改小火煮40分钟，然后加入冰糖续煮约10分钟至冰糖溶化，即可出锅装碗。

荸荠猪肚粥

原料 大米200克,猪肚、荸荠各250克。

调料 葱段、姜片、精盐、味精、料酒各少许。

制作步骤

❶ 将荸荠冲洗干净,削去外皮,切成丁块;猪肚洗净,放入沸水锅中略烫一下,捞出沥干,切成小丁;大米淘洗干净,放入清水中浸泡4小时。

❷ 坐锅点火,加入适量清水,放入猪肚、葱段、姜片、料酒,待煨煮至猪肚将熟,拣去葱段和姜片。

❸ 再放入荸荠、大米,继续煮至粥熟,然后加入精盐、味精调好口味,即可出锅装碗。

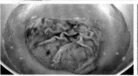

莲子木瓜粥

原料 大米250克,莲子25克,木瓜200克。

调料 白糖1大匙。

制作步骤

❶ 将木瓜洗净,去皮,切成小块;莲子洗净,用温水泡发至回软。

❷ 将大米淘洗干净,浸泡30分钟,放入锅中,加入适量清水,用旺火烧沸。

❸ 再放入莲子、白糖,改用小火续煮约45分钟,然后放入木瓜块煮约10分钟,待米粥黏稠时,出锅装碗即可。

香甜八宝粥

原料 大米、黑米、腰豆、花生、绿豆、赤小豆各50克,莲子、大枣各10克。

调料 冰糖适量。

制作步骤

❶ 将大米、黑米、腰豆、花生、绿豆、赤小豆、莲子、大枣分别洗涤整理干净,放入清水中浸泡6小时至软。

❷ 坐锅点火,加入适量清水,放入大米、黑米、腰豆、花生、绿豆、赤小豆、莲子、大枣,用大火煮开。

❸ 再改用小火续煮30分钟,然后加入冰糖煮至冰糖溶化,即可出锅装碗。

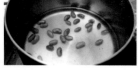

冬瓜鸭粥

原料 大米300克，净鸭块、冬瓜、橘皮各适量。

调料 葱、姜、精盐、味精、料酒、香油各适量。

制作步骤

①将冬瓜去皮及瓤，洗净，切成厚片；净鸭块冲洗干净，沥干水分；橘皮浸软后洗净。

②锅中加香油烧热，下入鸭块煎爆香，取出沥油。

③锅中加入清水、鸭块、葱、姜、橘皮、料酒烧沸，再改小火焖至鸭块熟烂，捞出鸭子，拣去葱、姜，然后加入淘洗干净的大米和冬瓜续煮至粥熟。

④将鸭肉拆下撕碎，放入粥锅中，再加入精盐、味精调好口味，淋入香油即成。

熬煮 咸鲜软嫩

莲藕粥

原料 黑糯米200克，莲藕100克。

调料 砂糖适量。

制作步骤

①将黑糯米淘洗干净，放入清水中浸泡12小时；莲藕洗涤整理干净，切成薄片。

②锅中加入适量清水，放入泡好的黑糯米煮沸，

再改用小火煮约40分钟。

③然后加入莲藕片续煮约20分钟至粥熟，再加入砂糖煮至溶化，即可出锅装碗。

熬煮 香甜软糯

冰糖五色粥

熬煮 鲜香软嫩

原料 嫩玉米粒100克，大米粥200克，香菇丁、胡萝卜丁、青豆各25克。

调料 冰糖100克。

制作步骤

❶ 将玉米粒、香菇丁、胡萝卜丁、青豆分别下入沸水锅中焯烫至熟，捞出沥干。

❷ 锅中倒入大米粥烧沸，再加入嫩玉米粒、香菇丁、胡萝卜丁、青豆、冰糖搅匀，即可出锅装碗。

小米红枣粥

熬煮 香甜适口

原料 小米400克，红枣6粒。

调料 冰糖适量。

制作步骤

❶ 将小米淘洗干净，用清水浸泡6小时；红枣清洗干净，去核。

❷ 锅中加入适量清水，放入小米、红枣煮沸，再改用小火慢煮30分钟至粥熟。

❸ 然后加入冰糖煮至完全溶化，即可出锅装碗。

强身米粥

原料 大米500克，羊瘦肉250克，山药50克，肉苁蓉、菟丝子、核桃仁各25克，羊脊骨1副。

调料 葱白15克，生姜、花椒、八角、精盐、料酒、胡椒粉各适量。

制作步骤

❶ 将羊骨剁成小段，洗净；羊肉焯去血水后洗净，切条；山药、肉苁蓉、菟丝子、核桃仁分别洗涤整理干净，装入纱布袋中；生姜、葱白洗净，拍松。

❷ 将上述材料与淘洗干净的大米一起放入砂锅中，加入适量清水，先置旺火上烧沸，撇去浮沫，再放入花椒、八角和料酒，改用小火炖至肉烂粥稠，撒入胡椒粉、精盐调匀即可。

熬煮 鲜咸清香

猪脑粥

熬煮 咸鲜软嫩

原 料 大米100克，猪脑1副。

调 料 葱末、姜末、精盐、味精、料酒各少许。

制作步骤

① 将猪脑放入清水中浸泡片刻，挑除血筋，再下入沸水中焯烫一下，捞出沥水，装入碗中，加入葱末、姜末、料酒，入笼蒸熟；大米淘洗干净。

② 坐锅点火，加入清水烧开，先放入大米和蒸猪脑的原汤熬煮至粥成。

③ 再加入猪脑、精盐、味精，并用手勺将猪脑捣散，待再次煮滚后，撒上葱末，即可装碗上桌。

熬煮 软嫩鲜香

瘦肉墨鱼香菇粥

原 料 大米、瘦猪肉各100克，干墨鱼80克，水发香菇50克，冬笋60克。

调 料 精盐、猪油各2小匙，味精1小匙，胡椒粉1/2小匙，料酒2大匙。

制作步骤

① 将墨鱼去骨，用温水浸泡30分钟，洗净，再用剪刀剪成细丝；瘦猪肉洗净，切成丝；香菇、冬笋放入清水中，刷洗干净，切成丝；大米淘洗干净。

② 坐锅点火，加入适量清水，放入墨鱼、猪瘦肉、料酒煮熟，再加入大米、香菇、冬笋、精盐煮制成粥，然后加入味精、胡椒粉、猪油稍煮至入味，出锅装碗即可。

熬煮 香甜软糯

香芋黑米粥

原 料 黑米300克，大米150克，芋头200克，花生50克。

调 料 红糖3大匙，冰糖80克。

制作步骤

① 将黑米、大米混拌均匀，放入清水中浸泡2~3小时，淘洗干净。

② 将芋头去皮，用清水洗净，沥干水分，切成大薄片。

③ 坐锅点火，加入适量清水烧开，先放入黑米和大米煮约40分钟，再下入芋头片、花生、红糖、冰糖续煮20分钟至粥熟，即可装碗上桌。

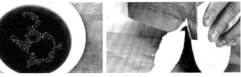

熬煮
香甜软嫩

香甜南瓜粥

原料 南瓜200克，大米200克。

调料 白糖适量。

制作步骤

① 将南瓜去皮，洗净，切成小块；大米淘洗干净，放入清水中浸泡6小时。

② 坐锅点火，加入适量清水，放入大米煮沸。

③ 再加入南瓜，用小火煮30分钟至熟透，然后加入白糖煮至溶化，即可出锅装碗。

 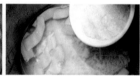

当归鸡粥

原料 大米250克，净乌鸡1只，当归30克。

调料 葱段、姜片、精盐、味精、料酒各少许。

制作步骤

① 将当归用温水泡透，洗净，用纱布包好；大米淘洗干净；乌鸡洗涤整理干净，放入沸水中焯烫一下，捞出沥干。

② 锅置旺火上，加入适量清水，先放入当归、乌鸡、葱段、姜片、料酒煮沸，再改用小火煨煮至汤浓鸡烂，捞出乌鸡，拣去当归、葱段和姜片。

③ 然后加入大米，熬煮至粥熟，再将鸡肉撕碎，放入粥中，加入精盐、味精调味，即可装碗食用。

熬煮
咸鲜清香

花生鱼粥

原料 大米200克，猪大骨500克，章鱼50克，花生仁75克，小红枣5枚，咸菜头1只。

调料 姜片、葱花各5克，精盐、味精、生抽各1/2小匙，胡椒粉少许，淀粉、熟油各2小匙。

制作步骤

1. 大米淘洗干净；章鱼洗净，切成块，倒入热油中略炒，再用热水洗净；花生仁用水浸泡3小时；猪大骨敲断，装入布袋；咸菜头用水浸淡，切成末。

2. 锅中加入姜片、花生仁及适量清水烧沸，再放入大米、章鱼、红枣和猪骨袋烧沸，再转小火熬煮2小时，取出骨袋，加入淀粉、精盐、味精、生抽、熟油、胡椒粉和咸菜末煮至粥稠，撒上葱花即成。

熬煮
鲜香软嫩

黑木耳粥

原料 大米100克，黑木耳5克，红枣5枚。

调料 冰糖适量。

制作步骤

1. 将黑木耳放入温水中泡发，去蒂后除去杂质，撕成瓣，放入锅中；大米淘洗干净，放入清水中浸泡3小时；红枣洗净，去核。

2. 坐锅点火，加入适量清水，放入大米、黑木耳、红枣，先用旺火烧沸。

3. 再改用小火炖煮至黑木耳软烂，然后加入冰糖煮匀，即可出锅装碗。

干贝鸡粥

原料 大米250克，熟鸡肉丝200克，干贝50克，水发香菇、油条粒各适量。

调料 葱花、精盐、味精、胡椒粉、香油各适量。

制作步骤

1. 将干贝除去硬筋，冲洗干净，放入碗中，加入少许开水，入笼蒸10分钟，取出晾凉，用手撕碎，蒸干贝的原汁留用；水发香菇洗净，切成细丁。

2. 锅中加入清水烧沸，下入淘洗干净的大米、香菇煮沸，再改用小火熬煮至粥浓米烂，然后下入干贝及原汁、鸡丝烧沸，再加入精盐、味精、香油、胡椒粉调味，盛入碗内，撒上葱花、油条粒即成。

熬煮
咸鲜适口

熬煮
香甜绵软

熬煮
香甜软嫩

百合萝卜粥

原料 大米100克，白萝卜50克，百合20克。

调料 冰糖少许。

制作步骤

❶ 将大米淘洗干净，用清水浸泡1小时；百合去黑根，洗净，放入清水中浸泡12小时；白萝卜去皮，洗净，切成3厘米见方的薄片。

❷ 铝锅上火，加入适量清水，先放入大米、白萝卜、百合旺火烧沸，再转小火熬煮35分钟，即可装碗上桌。

熬煮
香甜绵软

荔枝西瓜粥

原料 糯米300克，大米50克，西瓜、荔枝各100克。

调料 冰糖100克，白糖3大匙。

制作步骤

❶ 将糯米和大米分别淘洗干净，放入盆中，加入清水浸泡2~3小时。

❷ 将西瓜去皮、去子，切成小粒；荔枝去皮、去核，取肉待用。

❸ 坐锅点火，加入清水烧开，先放入糯米和大米煮至八分熟。

❹ 再下入西瓜粒、荔枝肉、冰糖、白糖，用小火煮至米粒熟烂开花，即可装碗食用。

富贵长粥

原料 黑米100克，糯米、桂圆肉各25克，莲子（去心）、红枣各10克，枸杞子3克。

调料 白糖50克，糖桂花少许。

制作步骤

❶ 将黑米、糯米分别用清水淘洗干净，沥干水分；莲子、红枣、枸杞子分别洗净、沥干；桂圆肉用开水泡一下，除去泥沙、洗净，沥干水分。

❷ 坐锅点火，加入清水、黑米、糯米、莲子、红枣、枸杞子烧开，再转用小火焖煮至糯米和莲子开花、粥稠浓。

❸ 然后放入桂圆肉、白糖和糖桂花，待再次烧开后，出锅装碗即可。

熬煮
香甜适口

骨髓粥

原料 大米150克，猪骨髓100克，熟芝麻适量。

调料 精盐适量。

制作步骤

❶ 将猪骨髓切成碎末，放入锅中，用小火熬出骨髓油，再倒入装有适量清水的碗中，待凝固后取出，翻面去除杂质。

❷ 锅再上火，先放入适量清水和淘洗干净的大米熬煮成粥，再加入骨髓油和精盐烧沸，然后撒上少许熟芝麻，即可出锅装碗。

熬煮 鲜香软嫩

熬煮 香甜适口

熬煮 咸鲜软嫩

黄鱼蓉粥

原料 大米300克，黄鱼1条，香菜末5克。

调料 葱花5克，姜丝3克，精盐、酱油各适量，熟油3大匙。

制作步骤

❶ 将大米淘洗干净，用少许精盐拌匀，腌渍片刻，倒入沸水锅中，置火上先煮。

❷ 将黄鱼洗涤整理干净，用少许精盐拌匀，腌渍片刻，下入热油中煎至两面焦黄，再加入清水煮熟，出锅剔下鱼肉，鱼骨放回鱼汤内继续熬煮，熬好后去掉鱼骨，将鱼汤倒入粥锅内同煮。

❸ 将鱼肉用熟油和酱油拌匀，待粥煮好后，下入鱼肉，再次煮沸，撒上姜丝、香菜、葱花拌匀即成。

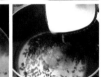

奶香黑米粥

原料 黑米200克，牛奶100克。

调料 白糖适量。

制作步骤

❶ 黑米淘洗干净，放入清水中浸泡12小时。

❷ 锅中加入适量清水，放入黑米、白糖烧沸，再改用小火续煮约30分钟。

❸ 待煮至米烂成粥，然后加入牛奶搅匀，即可出锅装碗。

熬煮
鲜香适口

人参鸡粥

原料 大米200克，净仔鸡1只，人参5克，鸡肝150克，山药10克。

调料 精盐适量。

制作步骤

① 将鸡肝洗净，用开水烫过后切成薄片；仔鸡剖开，洗净，放入锅中，加入适量清水煮熟，取适量鸡肉撕成细丝，鸡汤留用；人参切成片(参须切成粒)；山药洗净，切块；大米淘洗干净。

② 将人参、大米一同放入鸡汤锅中，用中火煮至六分熟，再加入山药，待米软时放入鸡肝片和鸡肉丝略煮，然后加入精盐调味，即可盛出食用。

熬煮
酸甜软嫩

太子山楂粥

原料 大米100克，太子参、山楂各10克。

调料 白糖适量。

制作步骤

① 将太子参刷洗干净，去除杂质；山楂洗净，去核，切成小片；大米淘洗干净，放入清水中浸泡6小时。

② 取电饭煲，放入泡好的大米、山楂片、太子参，加入适量清水煲至成粥，再加入白糖煲至溶化，即可出锅装碗。

熬煮
软嫩咸鲜

山药肉粥

原料 大米200克，羊肉100克，山药50克。

调料 姜片5克，精盐1小匙，味精1/2小匙，香油适量。

制作步骤

① 将大米淘洗干净；羊肉洗净，剁成碎末；山药去皮，洗净，捣碎备用。

② 铝锅上火，加入适量清水，先放入大米、羊肉末、山药、姜片旺火烧沸。

③ 再转小火煮至米烂粥熟，然后淋入香油，加入精盐、味精调匀，即可出锅装碗。

鹌鹑肉粥

原料 大米250克，鹌鹑肉150克，猪五花肉、赤小豆各50克。

调料 葱段、姜末、精盐、味精、胡椒粉、肉汤、香油各适量。

制作步骤

① 将鹌鹑肉洗净，放入碗中，加入葱段、姜末、精盐和洗净的猪五花肉块，入笼用旺火蒸至熟烂，拣去葱段、姜末备用。

② 将大米、赤小豆分别淘洗干净，一起放入锅中，加入肉汤，置旺火上熬煮1小时至粥熟。

③ 再倒入鹌鹑肉和猪肉调匀，淋入香油，撒上胡椒粉、味精略煮片刻至入味，即可出锅装碗。

熬煮
鲜香软嫩

黑糯米红绿粥

原料 黑糯米150克，绿豆、红豆各100克。
调料 姜片5克，冰片糖适量。

制作步骤

① 将黑糯米、绿豆、红豆分别淘洗干净，用清水浸泡6小时。

② 锅中加入适量清水，放入黑糯米、红豆、绿豆、老姜烧开，再改用小火煮约60分钟。

③ 待米烂成粥，加入冰片糖煮至溶化即成。

熬煮
香甜绵软

薏米南瓜粥

原料 薏米100克，南瓜300克。

调料 冰糖适量。

制作步骤

❶ 将薏米洗净，放入清水中浸泡1小时；南瓜洗净，去皮、去瓤，切成小片。

❷ 坐锅点火，加入适量清水烧开，先下入薏米煮约1小时。

❸ 再放入南瓜片续煮15分钟，待南瓜软烂后加入冰糖煮至溶化，即可装碗上桌。

燕麦小米粥

原料 燕麦200克，小米100克。

调料 冰糖适量。

制作步骤

❶ 将燕麦、小米分别淘洗干净，放入清水中浸泡5小时。

❷ 坐锅点火，加入适量清水，放入燕麦、小米用大火煮沸。

❸ 再改用小火煮约30分钟至粥熟，然后加入冰糖煮至溶化，即可出锅装碗。

肝腰鱼粥

原料 西米粥500克，猪腰片、猪肝片各75克，水发瑶柱丝25克，鱼肉50克，红枣6枚，香菜末少许。

调料 姜片、橘皮、白醋、胡椒粉、生抽各少许，水淀粉2小匙，熟猪油1小匙。

制作步骤

❶ 将鱼肉洗净，放入热油中冲炸一下，再捞入沸水中去除油腻，放入碗中，加入红枣、橘皮、姜片，入锅蒸1小时；腰片、肝片浸去血水，用白醋腌渍10分钟，洗净，放入沸水中焯至断生，捞出沥水。

❷ 将西米粥、蒸鱼汁放入锅中烧沸，再加入瑶柱、腰片和肝片略煮，用水淀粉勾芡，盛入碗中，加入熟猪油、生抽、胡椒粉、鱼肉、红枣、香菜拌匀即成。

羊肝粥

原料 大米150克，羊肝100克。

调料 葱末、姜末、精盐、胡椒粉各适量。

制作步骤

① 将大米淘洗干净，放入清水中浸泡6小时；羊肝洗净，切成小片。

② 铝锅上火，加入适量清水，先放入大米烧沸，再改用小火煮至粥成。

③ 再加入羊肝、葱末、姜末、精盐略煮，然后撒入胡椒粉，即可出锅装碗。

熬煮 咸香软嫩

熬煮 咸香适口

三色鸡粥

原料 大米250克，仔鸡1/2只，火腿50克，皮蛋2个。

调料 葱花、姜汁各10克，精盐、料酒、淀粉、熟猪油各适量。

制作步骤

① 将鸡洗净后切成小块，用精盐、姜汁、料酒、淀粉拌匀，腌渍片刻；火腿和皮蛋均切成小片。

② 将大米淘洗干净，放入沸水锅中煮至将熟，再加入腌渍好的鸡块、火腿和皮蛋同煮，待烧至肉烂粥稠。

③ 再加入精盐、熟油、姜汁、葱花搅拌均匀，即可出锅装碗。

熬煮 鲜香绵软

双酱肉粥

原料 大米500克，羊肉200克，杏仁、核桃仁各10粒。

调料 葱末、姜末、精盐、白糖、白酱油各少许，甜面酱100克，广东酱150克。

制作步骤

① 将羊肉洗净，放入锅中，加入清水，置火上烧沸，再改用微火焖5小时，取出去骨，冷却后切成片，装入盘中；白酱油、甜面酱、广东酱加入250克开水及适量白糖搅匀，熬成甜酱。

② 将羊肉汤去除杂质，加入洗净的大米烧沸，改用小火煮熟，撒上葱末、姜末、杏仁、核桃仁和精盐，淋入白酱油，熟羊肉佐甜酱食用即可。

黑米小米粥

原料 黑米300克，小米200克。

调料 冰片糖适量。

制作步骤

①将黑米、小米分别淘洗干净，放入清水中浸泡4小时。

②坐锅点火，加入适量清水，放入黑米、小米，用大火煮开，再改用小火煮40分钟至成粥。

③然后加入冰片糖煮至完全溶化即成。

蟹柳豆腐粥

原料 白米饭250克，蟹足棒1根，豆腐1块。

调料 姜末、精盐各少许，鸡粉1小匙，高汤1000毫升。

制作步骤

①将蟹足棒(蟹柳)洗净，切成小段；豆腐洗净，切成小块。

②锅中加入高汤烧开，先下入姜末略煮片刻，再放入白米饭、豆腐、精盐、鸡粉煮约20分钟。

③然后加入蟹柳续煮5分钟，即可出锅装碗。

枸杞鸡粥

原料 大米200克，鸡肉250克，猪瘦肉50克，枸杞子30克。

调料 姜末、精盐、味精、料酒、香油、植物油各适量。

制作步骤

① 将鸡肉、猪瘦肉分别洗净，剁成肉泥，加入姜末、料酒腌渍片刻；枸杞子和大米淘洗干净。

② 坐锅点火，加油烧至六成热，先下入鸡肉泥、猪肉泥炒出香味。

③ 再加入料酒、精盐、枸杞子、大米及适量清水烧沸，改用小火煮至大米烂熟，然后撒上味精，淋入香油，即可出锅装碗。

熬煮
鲜香绵软

首乌枣粥

原料 大米150克，薏米20克，红枣12枚，何首乌、熟地黄各30克。

调料 冰糖2大匙。

制作步骤

① 将大米、薏米淘洗干净；红枣去核、洗净；何首乌、熟地黄放入锅中，加入适量清水，煎煮取汁，如此共煎取两次，合并煎汁。

② 将两次所取煎汁与红枣、大米、薏米一起倒入锅中，加入适量清水，用小火煮至大米、薏米熟烂，再撒入冰糖煮至溶化即可。

鲍鱼鸡粥

原料 大米300克，鲍鱼(罐头)1个，净鸡1/2只，香菜末适量。

调料 葱花、精盐、白糖、淀粉、酱油、植物油各适量。

制作步骤

① 将鲍鱼取出，切成小片；净鸡冲洗干净，斩成小块，放入碗中，加入淀粉、精盐、白糖、酱油、植物油拌匀；大米淘洗干净。

② 坐锅点火，加入适量清水烧沸，先下入大米煮至粥熟，再倒入鸡块，用小火煮至鸡熟，然后加入精盐、味精、香菜末、葱花和鲍鱼片拌匀即成。

熬煮
鲜香软嫩

熬煮
香甜绵软

熬煮
鲜香软嫩

四宝鸡粥

原料 大米200克，母鸡肉150克，当归、川芎、白芍、熟地黄各10克。

调料 姜末、葱花、精盐、味精、香油各适量。

制作步骤

❶ 将当归、川芎、白芍、熟地黄一起放入锅中，加入适量清水，置火上煎煮取液汁；鸡肉洗净，剁成泥。

❷ 将大米淘洗干净，放入锅中，加入中药液汁、鸡肉泥和精盐，置小火上煮至大米熟烂，再撒上姜末、葱花、味精，淋入香油，即可出锅装碗。

小米鸡蛋粥

原料 小米150克，鸡蛋2个。

调料 红糖100克。

制作步骤

❶ 将鸡蛋磕入碗中，搅打均匀；小米淘洗干净，用清水浸泡。

❷ 坐锅点火，加入适量清水，先下入小米旺火烧沸，再撇去浮沫，转小火熬煮至米粥将成。

❸ 然后倒入鸡蛋液略煮片刻，再撒上红糖调匀，即可出锅装碗。

熬煮
香甜软嫩

煲羊腩粥

原料 大米250克，羊腩500克，绿豆、胡萝卜各150克。

调料 葱白粒、姜丝、胡椒粉各少许，精盐、味精、生抽各1/2小匙，花椒5粒，水淀粉2小匙。

制作步骤

❶ 将绿豆洗净；大米淘洗干净，用精盐、花椒、胡椒粉拌匀，腌渍1小时；羊腩肉洗净，切块，与花椒和胡萝卜一同放入沸水中焯烫一下，再倒入沸水锅中，置火上煮至断生，捞出洗净。

❷ 锅中加入清水，放入羊腩、绿豆和葱白粒煮滚，再加入大米，转小火熬煮2小时，然后用水淀粉勾芡，加入精盐、味精、生抽、姜丝拌匀即成。

熬煮
鲜香绵软

薏米红枣粥

原料 薏米300克，糯米50克，红枣150克。

调料 白糖100克，冰糖50克。

制作步骤

1 将薏米、糯米分别放入清水浸泡约5小时，淘洗干净。

2 将薏米用清水洗净，放入沸水锅中煮40分钟，再下入糯米煮30分钟。

3 然后放入红枣、白糖、冰糖煮至米粒开花，盛入碗中即可。

熬煮 香甜软嫩

熬煮 咸鲜绵软

生鱼片粥

原料 大米300克，草鱼肉250克。

调料 葱花、姜末各10克，精盐、味精、植物油各适量。

制作步骤

1 将大米淘洗干净，放入清水中浸泡6小时；草鱼肉洗净，切成薄片，分装在几个小碗内，加入姜末、葱花和植物油拌匀。

2 坐锅点火，加入适量清水，先放入大米煮沸，再改用小火熬煮至粥熟。

3 然后撒入精盐、味精调好口味，趁热冲入鱼碗中即成。

熬煮 甜香绵软

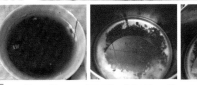

海椰黑糯米粥

原料 黑糯米、海底椰各100克。

调料 白糖适量。

制作步骤

1 将海底椰洗净，切成细块；黑糯米淘洗干净，除去杂质，放入清水中浸泡4小时。

2 将黑糯米放入锅中，加入适量沸水，用大火煲约30分钟。

3 再放入海底椰，改用小火煲煮约20分钟，然后放入白糖煮至溶化，即可出锅装碗。

粟米蛋粥

熬煮
甜香适口

原料 玉米粒150克，鸡蛋2个。

调料 红糖100克。

制作步骤

① 将玉米粒淘洗干净，放入清水中浸泡6小时；鸡蛋磕入碗中，搅散待用。

② 铝锅上火，加入适量清水，先放入玉米粒，用旺火烧沸，再转小火煮至玉米粥将熟。

③ 然后倒入鸡蛋液续煮片刻，再加入红糖调匀，即可出锅装碗。

萝卜肉粥

熬煮
咸鲜软嫩

原料 大米500克，羊后腿肉250克，胡萝卜丁、青萝卜丁各180克，香菜60克。

调料 精盐适量。

制作步骤

① 大米淘洗干净，放入清水中浸泡4小时；香菜择洗干净，切成小段；羊后腿肉洗净，切成小块。

② 坐锅点火，加入适量清水烧开，先下入羊肉烧沸，撇去浮沫，再用中火煮约10分钟。

③ 然后倒入大米、胡萝卜丁、青萝卜丁，加入精盐，续熬约15分钟成黏稠状，撒上香菜段，即可出锅装碗。

车前子粥

熬煮
香甜软嫩

原料 玉米粒100克，车前子25克。

调料 白糖适量。

制作步骤

① 将车前子洗净，用纱布包好；玉米粒淘洗干净，放入清水中浸泡2小时。

② 铝锅上火，加入适量清水，先放入车前子煮约15分钟，捞除车前子。

③ 再加入玉米粒续煮至粥成，然后加入白糖调味，即可出锅装碗。

熬煮
香甜绵软

糯米蛋粥

原料 糯米200克，鸡蛋100克，山药30克，薏米50克，白茯苓20克。

调料 白糖2大匙。

制作步骤

① 将山药、薏米、白茯苓分别洗涤整理干净，研磨成粉状；鸡蛋煮熟，取出蛋黄备用。

② 将糯米淘洗干净，与磨好的山药粉、薏米粉和白茯苓粉一起放入锅中。

③ 再加入适量清水，置小火上煮至糯米熟烂，然后撒入白糖和鸡蛋黄搅拌均匀，即可装碗上桌。

金银鸭粥

原料 大米300克，光鸭1只，烧鸭半只，果皮1块，油条2根，香菜10克。

调料 葱末5克，胡椒粉、豉油、熟油各适量，香油1/2小匙。

制作步骤

① 将果皮洗净，放入锅中，加入适量清水，置火上先煮；大米用清水淘洗干净，倒入沸水锅中煮成米粥。

② 将烧鸭去骨、取肉，把鸭骨放入粥锅同煮，然后

将光鸭洗净，放入热油中煎香，再加入适量清水煮至鸭熟，取出拆肉，将鸭骨和鸭汤倒入粥锅中。

③ 将光鸭肉撕条，用豉油、熟油、香油、胡椒粉拌匀；烧鸭肉也撕成细条。

④ 待粥快煮好时，将鸭骨捞出，下入鸭肉丝续煮至粥成，出锅装碗，再撒上香菜、葱末和切好的油条段即成。

熬煮
咸鲜清香

鱼肉米粥

原料 糯米150克，鳜鱼肉120克，猪五花肉80克。

调料 姜丝15克，蒜丝8克，精盐、胡椒粉各1/2小匙，味精少许，料酒2小匙，猪油2大匙。

制作步骤

❶ 将糯米拣去杂质，放入清水中浸泡一夜，再用清水洗净；鱼肉、猪肉分别用清水洗净，切成丝。

❷ 坐锅点火，放入猪油烧至六成热，先下入猪肉丝煸炒至断生。

❸ 再加入料酒、糯米、鱼肉丝和适量清水，待煮至粥将熟时，加入姜丝、蒜丝、精盐、味精煮至入味，加入胡椒粉调匀，即可出锅装碗。

益寿红米粥

原料 红米100克，鲜淮山200克，枸杞子10克。

调料 姜片10克，冰片糖适量。

制作步骤

❶ 红米淘洗干净，放入清水中浸泡6小时；鲜淮山去皮，切成小块；枸杞子洗净。

❷ 将红米放入锅内，加入适量清水烧开，再改用慢火煮约30分钟。

❸ 然后放入鲜淮山、枸杞子、姜片，煮至鲜淮山熟透，再放入冰片糖煮至溶化，即可出锅装碗。

田鸡粥

原料 糯米100克，田鸡250克。

调料 葱段、姜片各5克，精盐、料酒各1小匙，味精1/2小匙。

制作步骤

❶ 将田鸡宰杀，剥去外皮，剁去头、爪，去除内脏，洗净，放入碗内；再加入葱段、姜片、料酒、精盐拌匀，稍腌片刻。

❷ 将大碗放入蒸锅中蒸至田鸡熟烂脱骨，拣去田鸡骨、葱、姜不用，留田鸡肉、田鸡汤待用。

❸ 将糯米淘洗干净，下入清水锅中煮沸，再转小火熬成米粥，然后倒入田鸡汤和田鸡肉，加入味精调匀，续烧5分钟，即可出锅装碗。

青菜粥

原料 大米100克，青菜250克。

调料 姜丝、精盐、味精、熟猪油各少许。

制作步骤

❶ 将青菜择洗干净，切成粗丝；大米淘洗干净，放入清水中浸4小时。

❷ 坐锅点火，加入适量清水，先下入大米旺火煮沸，再转小火煮至粥将成。

❸ 然后加入青菜、姜丝、精盐、味精、猪油续煮至粥成，即可出锅装碗。

熬煮
咸鲜清香

油条蔬菜粥

原料 稠粥250克，油条1根，小西红柿、菜花、胡萝卜、海带结各适量。

调料 姜末少许，精盐、味精各1/3小匙，高汤500克。

制作步骤

❶ 将油条切成段；小西红柿洗净，一切两瓣；菜花洗净，切朵；胡萝卜洗净，切条；海带结洗净。

❷ 将菜花、胡萝卜、海带结一起下入沸水中焯透，捞出沥干。

❸ 锅中加入高汤，先放入姜末煮沸，再下入稠粥、油条、小西红柿、菜花、胡萝卜、海带结，然后加入精盐、味精调匀，见粥煮滚，即可出锅装碗。

熬煮
咸鲜软嫩

八珍仙粥

原料 黑米250克，红枣、西米各25克，香米10克，白果、桃仁、银耳、百合、桂圆肉各适量。

调料 冰糖100克。

制作步骤

❶ 将黑米、西米、香米分别淘洗干净，放入清水中浸泡4小时；红枣去核、洗净；银耳择洗干净，放入清水中泡发，再放入锅中蒸熟；白果、桃仁、百合、桂圆肉分别洗净。

❷ 坐锅点火，加入清水烧沸，放入黑米慢煮至米粒柔软，再加入香米、西米、桂圆肉、冰糖、百合、白果、桃仁和红枣，用小火煮至粥稠，出锅装碗，撒上银耳，即可上桌食用。

熬煮
香甜软糯

熬煮
香甜软糯

黑糯米甜麦粥

原料 黑糯米150克，小麦100克。

调料 白糖适量。

制作步骤

❶黑糯米、小麦分别淘洗干净，放入清水中浸泡4小时。

❷坐锅点火，加入适量清水，放入黑糯米和小麦煮沸。

❸再改小火煮40分钟，加入白糖煮至溶化即成。

山楂乌梅粥

原料 大米100克，山楂10克，乌梅4枚。

调料 白糖适量。

制作步骤

❶将乌梅、山楂分别洗净，去核；大米淘洗干净，放入清水中浸泡6小时。

❷铝锅上火，加入适量清水，先放入乌梅、山楂、大米旺火烧沸。

❸再转小火煮约35分钟，然后加入白糖调匀，即可出锅装碗。

熬煮
甜香绵软

鲜鱼片粥

原料 大米250克，鲩鱼肉500克，珧柱25克，香菜末5克。

调料 姜丝、葱花各10克，精盐、胡椒粉各少许，酱油2小匙，熟油4小匙。

制作步骤

① 将大米淘洗干净，用少许精盐拌匀，腌渍片刻；珧柱用水浸发，撕成细条；鲩鱼肉洗净，切成薄片，加入酱油、精盐拌匀。

② 锅中加入适量清水，下入大米和瑶柱煮至粥将熟，再加入熟油、胡椒粉、葱花、姜丝调味。

③ 然后下入鱼片，待粥再次煮沸、鱼片熟透时，撒入香菜末，即可出锅装碗。

熬煮 咸鲜清香

山药枸杞豆浆粥

原料 大米100克，枸杞子15克，山药20克，黄豆100克。

调料 白糖适量。

制作步骤

① 将山药用清水浸泡1夜，去皮，洗净，切成3厘米见方的薄片；枸杞子洗净。

② 大米淘洗干净，放入清水中浸泡6小时；黄豆用清水浸泡8小时，磨碎过滤，取豆浆备用。

③ 将大米、山药放入铝锅中，加入适量清水，置旺火上烧沸，再改用小火煮35分钟，然后加入豆浆、枸杞子、白糖续煮3分钟，即可出锅装碗。

熬煮 香甜绵软

口蘑香菇粥

原料 大米稠粥250克，口蘑、鸡肉馅各50克，香菇适量。

调料 葱花少许，精盐1/3小匙，鸡精1小匙，料酒、酱油、植物油各1/2小匙，高汤250克。

制作步骤

① 将口蘑洗净，切成小片；香菇泡发回软，洗净、去蒂，切成抹刀片；鸡肉馅用植物油、料酒、酱油炒熟。

② 铝锅上火，倒入稠粥烧开，先放入口蘑、香菇、精盐、鸡精、高汤煮约15分钟，再加入炒好的鸡肉馅拌匀，然后撒入葱花，即可出锅装碗。

熬煮 咸鲜软嫩

熬煮
咸鲜清香

猪蹄香菇粥

原料 大米200克，净猪前蹄1只，花生仁50克，香菇5朵，香菜25克。

调料 葱花少许，精盐、味精各1/2小匙，熟油2小匙。

制作步骤

① 将大米淘洗干净，用清水浸泡1小时；猪蹄洗净后放入沸水锅中焯烫一下，捞出沥干；香菇洗净，切成丝；香菜洗净，切成小段。

② 锅中加入清水，放入猪蹄、花生仁和香菇烧沸，再下入大米，用小火熬煮2小时，取出猪蹄。

③ 然后加入精盐、味精、熟油、香菜段和葱花调匀，即可出锅装碗。

熬煮
鲜香绵软

鸽杞芪粥

原料 大米200克，乳鸽肉100克，枸杞子、黄芪各30克。

调料 精盐、味精、香油各适量。

制作步骤

① 将黄芪放入锅中，加入适量清水，置火上煎煮取汁，反复取两次汁；乳鸽肉洗净、剁成肉泥；枸杞子洗净。

② 将大米淘洗干净，与黄芪液汁、乳鸽肉泥和枸杞子一起放入锅中，加入适量清水，置小火上煮至米烂粥稠，再调入精盐、味精，淋入香油搅拌均匀，即可出锅装碗。

桂花糖藕粥

原料 糯米300克，鲜藕200克，花生、大枣各50克。

调料 白糖100克，桂花酱3大匙。

制作步骤

① 将糯米淘洗干净，放入清水中浸泡3小时；大枣去核、洗净；花生用清水洗净。

② 将鲜藕洗净、去皮，顶刀切成片，再放入沸水锅中，加入白糖，用小火煮至熟烂，制成糖藕。

③ 坐锅点火，加入清水烧开，先放入泡好的糯米煮至米粒开花。

④ 再下入桂花酱、糖藕、花生、大枣，用小火煮至熟烂，即可盛入碗中。

熬煮
香甜软嫩

香菇虾粥

原料 大米300克，鲜虾15只，香菇3朵，青菜适量。

调料 生姜、精盐、料酒各适量。

制作步骤

① 将大米淘洗干净，捞入沸水锅中先煮；香菇泡发，洗净、去蒂，切成小块；青菜洗净，切成小块。

② 虾去壳和泥肠，洗净切细，加入料酒拌匀腌渍片刻，再放入沸水锅中略烫，捞出沥干。

③ 待粥煮至将熟时，下入虾肉、香菇、青菜、生姜、精盐搅拌均匀，煮至粥熟米烂即可。

熬煮
鲜香适口

熬煮
鲜香软嫩

熬煮
香甜绵软

羊腩苦瓜粥

原料 大米250克，羊腩150克，苦瓜100克，燕麦30克。

调料 姜片、胡椒粉、精盐、味精、料酒各少许。

制作步骤

① 将羊腩洗净，切成块，再放入沸水中焯透，捞出冲净；苦瓜洗净、去瓤，切成片，再下入沸水中焯烫一下，捞出沥干。

② 将大米淘洗干净，浸泡30分钟；燕麦洗净，浸泡8小时。

③ 锅中加入清水，放入大米、燕麦旺火烧沸，再加入羊腩、姜片、精盐、味精、料酒、胡椒粉小火煮约1小时，然后放入苦瓜续煮10分钟，即可出锅装碗。

红糖粥

原料 大米100克。

调料 红糖适量。

制作步骤

① 将大米淘洗干净，去除杂质，放入清水中浸泡6小时。

② 坐锅点火，加入适量清水，放入大米，用大火煮沸。

③ 再改用小火煮约60分钟至米烂粥熟，然后加入红糖煮至溶化，即可出锅装碗。

熬煮
香甜软嫩

小枣高粱米粥

原料 高粱米500克，红小枣200克。

调料 白糖2大匙，水淀粉各3大匙，桂花、食用碱各少许。

制作步骤

❶ 将高粱米淘洗干净，放入清水中浸泡4小时；红小枣洗净，去核。

❷ 砂锅上火，加入适量清水烧开，先放入高粱米和少许碱面烧沸。

❸ 再转成小火，放入小枣续煮至熟，见高粱米浮起时，用水淀粉勾芡，加入白糖、桂花调匀，即可装碗上桌。

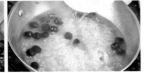

熬煮
鲜香软糯

薯瓜粉粥

原料 玉米粒200克，玉米面500克，红薯、南瓜各400克。

调料 食用碱少许。

制作步骤

❶ 将玉米粒淘洗干净；红薯、南瓜分别洗净，切成鸡蛋大小的块。

❷ 锅中加入适量清水烧开，先放入玉米粒和少许食用碱煮约5分钟。

❸ 再加入红薯块、南瓜块续煮至将熟，然后均匀地撒上玉米面，用勺子不断地搅动，转小火煮至粥熟即可。

熬煮
咸鲜软嫩

狗肉粥

原料 大米100克，狗肉250克。

调料 生姜、精盐各少许。

制作步骤

❶ 将狗肉洗净，切成3厘米长、2厘米宽的块；生姜去皮、洗净，切成粒；大米淘洗干净，放入清水中浸泡5小时。

❷ 坐锅点火，加入适量清水，先放入大米、狗肉、姜粒，用旺火烧沸。

❸ 再改用小火煮熟，加入精盐调好口味，即可出锅装碗。

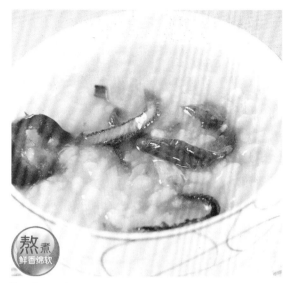

熬煮
鲜香绵软

鱼蓉肝粥

原料 大米300克，鲩鱼肉、猪肝各500克，草鱼肉100克，珧柱、腐竹各50克，红枣8枚。

调料 葱丝、食用碱、姜丝、葱段、姜片、精盐、果皮、酱油、淀粉、姜汁、植物油各适量。

制作步骤

① 将鲩鱼肉去皮、洗净，切成薄片；猪肝洗净，切成薄片，用少许食用碱和清水浸泡2小时，再洗去碱味，沥干后加入姜汁、淀粉抓匀，腌制20分钟。

② 将珧柱浸软后撕成细条；草鱼肉洗净，用净锅烘香，与果皮、姜片、葱段、红枣一起装入布袋内，

鳝鱼粥

原料 大米100克，鳝鱼500克。

调料 葱末、姜末、精盐、味精、料酒、胡椒粉、酱油、白糖、熟猪油适量。

制作步骤

① 将鳝鱼洗涤整理干净，放入沸水锅中，加入少许精盐略焯，捞出沥干，切成丝；大米淘洗干净。

② 坐锅点火，加入猪油烧热，先下入鳝丝煸透，再加入料酒、酱油、味精、白糖、姜末翻炒至入味，出锅装碗。

③ 另起锅，放入清水、大米，待熬煮至粥成时，加入炒鳝丝再次煮沸，然后加入精盐、葱末拌匀，撒上胡椒粉即可。

扎紧袋口；腐竹加食用碱、开水浸泡20分钟，再用清水洗去碱味，沥干待用。

③ 将大米淘洗干净，倒入沸水锅中，加入珧柱、腐竹和料包，用小火煮约2小时至粥将熟，再撒入精盐，下入猪肝片烫熟。

④ 碗中放入鱼片、熟油、酱油，倒入滚粥，再放上姜丝、葱丝，拌匀即可食用。

熬煮
鲜香软嫩

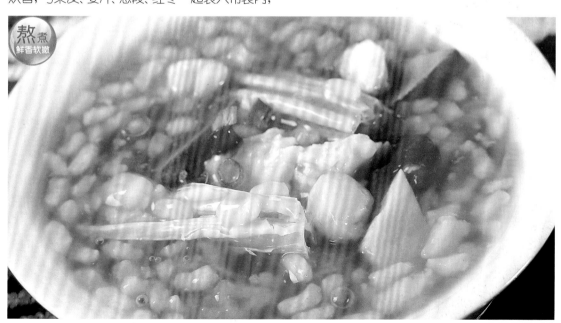

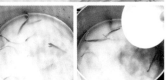

玉米鱼粥

原料 玉米粒150克，鲫鱼1条(约250克)。

调料 葱白25克，姜末5克，精盐、料酒各1小匙，味精1/2小匙，香醋、香油各1大匙。

制作步骤

❶ 将玉米粒去除杂质，用清水浸泡涨发，反复淘洗干净；鲫鱼去鳞、去鳃、除内脏，洗净。

❷ 坐锅点火，放入鲫鱼、料酒、葱白、姜末、香醋、精盐和适量清水煮沸，再转小火将鱼肉煮烂，用汤筛过滤，去渣留汁，然后下入玉米粒煮至粥成，再撒入味精，淋入香油，调匀即可。

陈皮绿豆粥

原料 绿豆200克，大米50克，陈皮5克。

调料 白糖适量。

制作步骤

❶ 绿豆、大米淘洗干净，放入清水中浸泡5小时；陈皮浸软，切成细丝。

❷ 锅中加入适量清水，放入绿豆、大米、陈皮煮沸，再改用中火煲约1小时。

❸ 然后加入白糖煮至溶化，即可出锅装碗。

仿真燕窝粥

原料 大米稀粥250克，银耳25克，枸杞少许。

调料 冰糖1大匙，杏仁露150克。

制作步骤

❶ 将银耳用冷水泡发，择洗干净，撕成小块；枸杞用温水泡至回软，洗净后沥干。

❷ 铝锅上火，加入杏仁露、稀粥旺火烧沸，再转小火，放入银耳、枸杞、冰糖煮约15分钟，即可出锅装碗。

第4天
爽滑面条人人爱

什锦鸡蛋面 水煮
咸鲜香嫩

原料 全蛋面150克，虾仁50克，草菇、猴头蘑、胡萝卜、油菜心各适量，鸡蛋1个。

调料 葱末、姜末、胡椒粉各少许，精盐、味精各1/2小匙，料酒1大匙，高汤750克，植物油3大匙。

准备工作

❶锅中加入少许植物油烧热，打入鸡蛋煎至一面定型后取出。

❷锅中加入清水烧沸，下入全蛋面煮6分钟至熟，捞出装碗。

❸虾仁去沙线，洗净，加入精盐、料酒腌渍。

❹草菇洗净，一切两半；猴头蘑洗净，切小片。

❺胡萝卜去皮，洗净，切花刀片；油菜心洗净。

❻虾仁、草菇、猴头蘑、胡萝卜、油菜焯水。

制作步骤

❶锅中加入植物油烧至七成热，下入葱末、姜末煸炒出香味。

❷加入料酒、高汤、虾仁、草菇、猴头蘑、胡萝卜、油菜心炒匀。

❸再加入精盐、味精、料酒、胡椒粉调味，烧沸后煮约2分钟。

❹盛入全蛋面的大碗内，再摆上煎好的鸡蛋即可。

原料 切面150克,水发海参、大虾仁、带子各100克,口蘑、香菇、油菜各适量。

调料 葱段、姜片各少许,精盐、味精各1/3小匙,鱼露1/2大匙,料酒1大匙,高汤750克,红辣椒油、植物油各适量。

准备工作

❶水发海参洗净,切成片;大虾仁挑除沙线,洗净后沥水。

❷放入沸水锅中焯烫至熟,捞出过凉,沥水。

❸带子用清水浸泡、洗净;油菜心去根,洗净。

❹口蘑、香菇用清水浸泡、洗净,切成小片。

制作步骤

❶锅中加入清水烧沸,下入切面煮8分钟至熟,捞出装入碗中。

❷锅中加入植物油烧至七成热,下入葱段、姜片煸炒出香味。

❸添入高汤,放入海参、虾仁、带子、口蘑、香菇、油菜心烧沸。

❹撇去浮沫,加入鱼露、料酒、精盐调好口味。

❺待再沸后加入少许味精、红辣椒油,倒入面碗中即成。

全家福汤面

水煮 咸鲜香辣

原料 河粉200克，牛外脊肉150克，青椒、红椒、韭黄各适量。

调料 精盐、味精各1小匙，黑胡椒、酱油、料酒、水淀粉、香油各1/2小匙，植物油3大匙。

⬇ 准备工作

❶青椒、红椒分别去蒂和籽，洗净，沥去水分，切成细丝。

❷韭黄择洗干净，切成4厘米长的小段；牛外脊肉剔除筋膜，洗净，切成粗丝，放入碗中。

❸加入精盐、酱油、料酒、水淀粉、黑胡椒、香油拌匀。

⬇ 制作步骤

❶锅中加入清水烧沸，下入河粉煮6分钟至熟，捞出用香油拌匀。

❷锅中加入植物油烧至八成热，放入牛肉丝煸炒至变色。

❸下入青椒丝、红椒丝炒匀，放入煮好的河粉翻炒至熟透。

❹加入精盐、味精、韭黄段翻拌均匀，出锅装盘即可。

炒河粉

熟炒 咸鲜清香

红焖排骨面

水煮
软嫩咸鲜

原料 面条500克,猪排骨200克,油菜75克。

调料 葱段10克,姜片、蒜片各5克,花椒、八角、干辣椒、味精、白糖、料酒各适量,精盐1小匙,酱油1大匙,植物油2大匙。

🔽 准备工作

❶干辣椒去蒂,洗净,沥净水分,切成小段。

❷油菜择洗干净,在根部剞上十字花刀。

❸放入加有少许植物油的沸水中焯烫一下,捞出过凉、沥水。

❹猪排骨洗净,顺长切成长条,再剁成骨牌块,放入沸水锅中焯烫5分钟,捞出洗净。

🔽 制作步骤

❶锅中加油烧至八成热,下入葱段、姜片、蒜片、八角炝锅。

❷放入排骨、花椒、辣椒段煸炒,加入酱油、精盐、白糖、料酒。

❸倒入适量清水烧沸,转小火焖煮1小时。

❹待排骨酥烂时,捞除花椒、八角、辣椒、葱、姜、蒜成浇汁。

❺面条煮熟,捞出装碗,放上油菜和排骨,淋上浇汁即可。

原料 豆花150克，面条100克，红苕粉20克，花生米15克，油酥黄豆、腌大头菜各5克。

调料 葱花、花椒粉各少许，酱油2大匙，红油辣椒、芝麻酱各2小匙，植物油适量。

准备工作

❶红苕粉放入碗中，加入清水50克泡透，搅匀成红苕粉汁。

❷芝麻酱、酱油放入小碟调散，加入花椒粉、红油辣椒调匀。

❸腌大头菜洗净，切成小粒；花生米入温油锅内炸酥，捞出晾凉、去皮，压成碎粒。

制作步骤

❶锅中加入清水500克，用中火烧沸，慢慢倒入红苕粉汁。

❷用手勺轻轻搅匀成浓汁，再舀入豆花烧沸，转微火保温。

❸面条下入沸水锅中煮熟，捞入碗中，舀上豆花。

❹撒上酥花生米、黄豆、大头菜粒、葱花，带麻酱味碟上桌。

四川豆花面

水煮
咸鲜香辣

肉丝香菇面

水煮
鲜嫩咸香

原料 面条200克，猪里脊肉150克，水发香菇100克，胡萝卜、鲜笋各适量。

调料 葱丝、姜丝各少许，精盐、味精、白糖各1/3小匙，酱油、料酒各1大匙，香油适量，高汤750克，植物油3大匙。

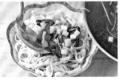

准备工作

❶ 猪里脊肉、水发香菇分别洗净，均切成细丝。

❷ 胡萝卜、鲜笋去皮、洗净，切成小块，放入沸水锅中略焯，捞出过凉。

❸ 锅置火上，加入清水烧沸，放入面条用中火烧沸。

❹ 淋入少许冷水，如此反复3次直至面条煮熟。

❺ 捞出面条，加入少许熟植物油调匀，分盛入大碗内。

制作步骤

❶ 锅中加入植物油烧热，放入肉丝、香菇、酱油、料酒略炒一下。

❷ 再下入葱丝、姜丝爆香，添入高汤烧沸。

❸ 放入胡萝卜片、鲜竹笋块，用中小火烧煮至熟。

❹ 加入精盐、味精、白糖翻炒均匀，淋入香油炒匀。

❺ 离火后出锅，分盛在装有面条的大碗内即可。

文蛤海鲜面

水煮
咸鲜清香

原料 面条150克，文蛤100克，夏威夷贝、鲜带子各50克，大虾2只，海带结、鲜芦笋各适量。

调料 葱丝、姜丝、胡椒粉、精盐、味精各少许，料酒1大匙，高汤3杯，植物油适量。

准备工作

❶ 芦笋去根，削去老皮，洗净、切成小段。

❷ 海带结洗净，放入蒸锅内蒸10分钟，取出用清水漂洗干净。

❸ 大虾去虾须，洗净，从背部片开，除去沙线。

❹ 文蛤洗净，放入清水盆内，使其吐净泥沙。

❺ 夏威夷贝、鲜带子分别去除杂质，放入清水中浸泡、洗净。

制作步骤

❶ 锅中加入适量清水烧沸，下入面条煮5分钟至熟，捞出装碗。

❷ 锅中加入植物油烧热，下入葱丝、姜丝炒香。

❸ 再烹入料酒，加入高汤烧沸，放入文蛤煮沸。

❹ 然后放入大虾煮熟，下入夏威夷贝、鲜带子、海带结、鲜芦笋。

❺ 再加入精盐、味精、胡椒粉续煮3分钟后离火，倒入碗中即可。

原料 牛肋肉500克，面条150克，番茄3个，豌豆少许。

调料 姜片、葱段各适量，精盐1/2小匙，白糖、酱油、料酒各1大匙，番茄酱3大匙，香油少许，植物油2大匙。

⬇ 准备工作

❶番茄去蒂、洗净，切成小块；豌豆洗净，放入清水锅内焯烫一下，捞出过凉、沥水。

❷牛肋肉剔去筋膜，用沸水焯烫一下，除净血污。

❸捞出后洗净、过凉，放入锅中，加入料酒、姜片及适量清水烧沸，转小火煮20分钟，捞出切块。

⬇ 制作步骤

❶锅中加入植物油烧至七成热，放入牛肉块、葱段炒出香味。

❷加入酱油、料酒、白糖、番茄酱、精盐炒匀，倒入牛肉汤烧沸。

❸转小火继续炖约30分钟至汤汁稠浓入味。

❹放入番茄块续炖20分钟至牛肉熟烂，撒上豌豆，淋入香油。

❺面条放入清水锅内煮熟，捞出装盘，再浇上茄汁牛肉块即成。

茄汁牛肉面 水煮 鲜咸甜酸

冬菇炒面

原料 面条500克,水发冬菇100克,熟笋片50克。味精1/2小匙,酱油3大匙,水淀粉、香油各1大匙,**调料** 植物油500克(约耗175克)。

制作步骤

1 将水发冬菇洗净,去蒂,切成片。

2 锅中加入清水烧沸,下入面条煮至断生,捞出过凉,放入碗中,加入酱油40克及味精拌匀。

3 锅中加油烧至五成热,下入拌好的面条翻炒约10分钟,待面条两面呈金黄色时,捞出装盘。

4 锅中留底油烧热,下入冬菇片、熟笋片略炒,再加入清水100克,调入酱油、味精烧沸,用水淀粉勾芡,淋入香油,出锅浇在面条上即成。

排骨汤面

原料 面条500克,猪排骨1000克,青菜200克。**调料** 葱花、精盐、酱油、料酒、胡椒粉、面粉、植物油、清汤各适量。

制作步骤

1 将青菜洗净,切成丝,放入沸水中烫熟,捞出;猪排骨洗净,剁成骨牌块,放入盆中,加酱油、料酒、精盐、胡椒粉腌渍10分钟,再加入面粉拌匀

2 锅中加油烧热,下入排骨块炸熟,捞出沥油。

3 将面条用沸水煮熟,捞出冲凉,再放入沸水中烫热,捞出沥干,分装入两个碗中备用。

4 另起锅,加入清汤、酱油、精盐、胡椒粉、葱花烧沸,浇入面碗中,再放上炸排骨和青菜丝即成。

罗汉斋炒面

原料 煎面底180克,水发冬菇、水发发菜、水发草菇、白果肉、笋片、水发黄耳各20克,直剪菜50克。**调料** 酱油1/2大匙,味精少许,水淀粉2大匙,蚝油1/2小匙,上汤150克,植物油1大匙。

制作步骤

1 将煎面底放入盘中;直剪菜洗净;水发冬菇、水发草菇分别去蒂、洗净,切成丝;水发发菜、水发黄耳分别去净杂质,发菜切成段,黄耳撕成片。

2 锅中加油烧热,放入直剪菜、冬菇丝、草菇丝、黄耳片、白果肉、笋片和发菜段炒匀,再加入上汤、蚝油、酱油、味精调味,用水淀粉勾芡,淋入明油推匀,出锅盖在煎面底上,即可上桌食用。

烂锅面

原料 面粉500克，猪瘦肉75克，白菜心150克。

调料 葱末、姜末各10克，精盐2小匙，味精1/2小匙，料酒1小匙，肉汤1250克，熟猪油75克。

制作步骤

❶ 将面粉放入盆内，加入适量清水和好，制成面条；猪肉洗净，切丝；白菜心洗净，切成小段。

❷ 锅中加入油烧热，放入葱末、姜末炒香，再放入肉丝煸炒至七分熟，然后放入白菜心略炒，再加入精盐、料酒、肉汤烧沸，捞出肉丝及白菜心。

❸ 将面条下到汤锅内，待面条煮烂时，加入味精，放入肉丝、白菜心烧沸，出锅装碗即可。

水煮
咸鲜软嫩

熟炒
咸鲜适口

五彩米粉面

原料 意大利面200克，米粉50克，鸡蛋1个，海米、韭黄段、香菇丝、青、红椒丝、洋葱丝各适量。

调料 精盐、味精、香油各1/3小匙，酱油、料酒各1大匙，陈醋少许，高汤250克，植物油适量。

制作步骤

❶ 将鸡蛋磕入碗中搅散，再摊成蛋皮，切成丝；海米用温水泡至回软，加入少许料酒略腌。

❷ 将米粉用沸水冲泡，盖上盖，焖至松软时捞出；意大利面下入沸水中煮透，捞出用油拌匀。

❸ 锅中加油烧热，放入海米爆香，再加入高汤、意大利面略炒，然后放入米粉、五彩丝、酱油、料酒、精盐、味精、香油、陈醋炒匀，撒上韭黄即成。

熟炒
咸鲜清香

牛肉炒面

原料 面粉300克，牛肉100克，青、红椒丝25克。

调料 葱丝、姜丝各10克，精盐1小匙，味精1/2小匙，料酒、酱油各2小匙，肉汤、植物油各适量。

制作步骤

❶ 牛肉洗净，切成细丝；面粉用凉水加精盐1克和成硬面团揉匀，再擀成大片，折叠后切成面条。

❷ 锅内加入适量清水烧开，下入面条煮熟，捞出投凉，沥去水分。

❸ 锅中加入植物油烧热，放入葱丝、姜丝炒香，再下入牛肉丝略炒，然后加入料酒炒熟。

❹ 再加入肉汤、精盐和酱油，最后放入面条、青、红椒丝炒匀，加入味精炒匀，出锅装碗即可。

熟炒
鲜香软嫩

孜然洋葱炒面

原料 宽面条300克,羊肉150克,洋葱50克,青椒、红椒各30克。

调料 姜丝少许,精盐1/2小匙,味精、白糖各适量,孜然粉1大匙,辣椒粉2小匙,五香粉少许,植物油2大匙。

制作步骤

① 锅中加入适量清水烧沸,下入宽面条,用筷子轻轻拨散,用中火烧煮至微熟,捞出沥水。

② 羊肉洗净,改刀切成丝;青椒、红椒、洋葱分别洗净,均切成丝。

③ 锅中加油烧热,放入羊肉丝炒熟,再下入辣椒粉、姜丝、洋葱丝、青椒丝、红椒丝炒熟。

④ 放入宽面条,加入孜然粉、精盐、白糖、五香粉炒匀入味,加入味精调匀,出锅装盘即可。

枸杞肉丝炒面

原料 面条500克,猪肉丝、枸杞各200克,笋丝100克。

调料 味精、酱油、料酒、白糖、清汤、熟猪油各适量。

制作步骤

① 将枸杞洗净;面条下入沸水锅中煮熟,捞出后用清水过凉,沥干,挑散备用。

② 锅中加入熟猪油烧热,先下入枸杞略炒,再加入少许清水,待煸至枸杞变软时,出锅待用。

③ 锅再上火,加入猪油烧热,放入猪肉丝煸炒至变色,再加入笋丝、料酒、酱油、白糖、味精、清汤烧沸,下入熟面条、枸杞略煮,即可装碗上桌。

熟炒
鲜香软嫩

回勺面

原料 熟面条550克,猪肉、海米、青菜各适量。

调料 葱丝、姜末、精盐、味精、酱油、香油、清汤、植物油各适量。

制作步骤

❶ 将猪肉洗净,切成细丝;青菜择洗干净,切成丝;海米用温水泡透。

❷ 坐锅点火,加油烧热,下入葱丝、姜末炒香,再放入猪肉丝、青菜丝炒至肉丝变色,然后加入酱油、精盐、味精、清汤烧沸,捞出猪肉和青菜。

❸ 再下入熟面条,待面条熟透,淋入香油,分装入两个碗中,最后撒上猪肉丝、青菜丝即成。

水煮
咸鲜软嫩

鸡丝干拌面

原料 熟面条300克,熟鸡胸肉80克,海米20克,水萝卜、腌香椿末各适量。

调料 精盐、味精、麻酱、酱油、香醋、香油、凉清汤各适量。

制作步骤

❶ 将熟鸡胸肉洗涤整理干净,切成细丝;海米用温水泡透;水萝卜洗净,切丝。

❷ 将熟面条装入碗中,加入酱油、精盐、香醋、味精、香油、凉清汤搅拌均匀。

❸ 再放入熟鸡胸肉丝、水萝卜丝、腌香椿末、海米、麻酱拌匀,即可出锅装碗。

牛肉炝锅面

原料 玉米面条200克,牛里脊肉100克,青椒、红椒各25克。

调料 葱丝、姜丝各10克,精盐、味精各1小匙,料酒、酱油各2小匙,鲜汤500克,植物油2大匙。

制作步骤

❶ 牛里脊肉洗净,片成大片,再改切成丝;青椒、红椒洗净,切成丝。

❷ 锅中加油烧热,下入肉丝、葱丝、姜丝略炒,再加入精盐、料酒、酱油、鲜汤下入玉米面条烧开。

❸ 下入青椒丝、红椒丝煮至面条软熟,加入味精,出锅装碗即可。

熟拌
鲜香软嫩

水煮
咸鲜清香

水煮
咸鲜清香

玉米汤面

原料 玉米面条200克，熟猪肘肉、木耳、香菜各适量。

调料 葱末、姜末、精盐、味精、料酒、香油、白胡椒粉、鸡汤各适量。

制作步骤

1. 将熟猪肘肉切成薄片；木耳泡发回软，择洗干净；香菜洗净，切成段。
2. 锅中加油烧热，放入葱、姜炒香，再烹入料酒，添入鸡汤，加入猪肘肉、木耳烧沸。
3. 然后下入玉米面条煮约6分钟，倒入砂锅中，加入精盐、味精续煮2分钟，再撒入白胡椒粉、香菜段，淋入香油，连锅一起上桌即可。

鲜蘑鸡丁卤面

原料 熟面条500克，鲜蘑、熟鸡肉丁各100克，熟猪肉丁50克，虾仁、冬笋丁各25克，鸡蛋2个。

调料 葱末、姜末、精盐、味精、酱油、料酒、水淀粉、鸡蛋清、清汤、熟猪油各适量。

制作步骤

1. 鲜蘑洗净，切丁；虾仁去沙线、洗净，加入水淀粉、精盐和鸡蛋清抓匀；鸡蛋磕入碗中，搅成蛋液。
2. 锅加油烧热，爆香葱、姜，再加入清汤、料酒、精盐、酱油、味精、熟猪肉、熟鸡肉、冬笋、鲜蘑、烧沸，用水淀粉勾芡，淋入鸡蛋液烧沸，出锅装碗。
3. 锅中加入熟猪油烧热，倒入浆好的虾仁滑熟，倒入盆中，制成卤汁，浇入面碗中拌匀即成。

熟拌
鲜香软嫩

豆腐炸酱面

原料 玉米面条200克，豆腐50克，水发木耳、韭菜段、鲜虾仁各30克。

调料 姜末、精盐、味精、料酒、酱油各少许，甜面酱、水淀粉、香油、熟猪油各适量，鲜汤100克。

制作步骤

1. 豆腐切成大片，放入沸水锅内焯透，捞出沥水，晾凉，再改切成小丁；木耳择洗干净，撕小片。
2. 锅内加水烧开，下入玉米面条烧开，点入凉水，盖上盖，再沸时，捞出投凉，沥水，放入碗内。
3. 锅加油烧热，下入豆腐略煎，再放入木耳、姜末、料酒、酱油、精盐、甜面酱、鲜汤烧开，然后下入虾仁、韭菜、味精，勾芡，淋香油，浇在面条上即成。

熟拌
咸鲜嫩滑

素三鲜汤面

原料 面条400克，冬笋、豌豆苗各100克，鲜蘑菇50克。

调料 精盐、味精、胡椒粉、香油、植物油各适量。

制作步骤

① 将鲜蘑菇削去泥根，洗净，切成片；冬笋去除老硬部分，洗净，切成细丝。

② 锅中加油烧热，下入冬笋丝、鲜蘑菇片、豌豆苗煸炒几下，再加入精盐炒熟，出锅待用。

③ 锅中加入清水烧沸，下入面条烧沸，放入炒好的冬笋丝、鲜蘑菇片、豌豆苗、味精烧沸，再撒上胡椒粉，淋入香油，即可出锅装碗。

水煮 咸鲜清香

水煮 鲜香软嫩

水煮 咸鲜软嫩

砂锅鱼汤面

原料 菠菜面200克，鲜鲤鱼肉75克，香菜末适量。

调料 精盐、味精、酱油、料酒、胡椒粉、香醋各适量，高汤700克。

制作步骤

① 将鲜鲤鱼肉剔净骨刺，洗净，片成薄片，放入碗中，加入酱油、料酒、精盐拌匀，腌至入味；香菜择洗干净，切成细末。

② 砂锅置小火上，加入高汤烧沸，下入鱼片，待汤再沸时，放入菠菜面煮至熟透，再加入胡椒粉、味精、香醋、香菜末烧匀即成。

鳝鱼丝汤面

原料 富强粉100克，鸡蛋2个，鳝鱼丝25克，笋丝10克。

调料 葱丝、精盐、味精、酱油、料酒、干团粉、植物油各适量，鸡汤125克。

制作步骤

① 将富强粉放入盆中，加入鸡蛋液调和成面团，揉匀后擀成面片，再切成细丝，制成蛋面生坯；酱油、精盐、味精、鸡汤放入碗中，调成味汁。

② 将面条放入沸水锅中煮熟，捞入味汁碗中。

③ 锅中加油烧热，下入葱丝炒香，再放入鳝鱼丝、笋丝略炒，然后烹入料酒，加入酱油，添入鸡汤，再加入味精炒匀，出锅浇在面条上即成。

锅蒸
咸鲜清香

蒸面条

原料 面条500克，鸡蛋5个，菠菜50克。

调料 精盐1大匙，香油2大匙，猪肉汤300克。

制作步骤

1 将面条放入沸水锅中煮熟，捞出沥干，装入碗中；菠菜择洗干净，切成小段。

2 将鸡蛋磕入大碗内，加入适量猪肉汤、精盐搅打均匀。

3 再放入面条、菠菜，入笼用中火蒸约10分钟，淋入香油，即可出锅装碗。

熟炒
鲜香软嫩

生菜蟹肉炒面

原料 切面100克，蟹肉条50克，生菜50克。

调料 葱末、姜末各5克，精盐、米醋、香油各1/2小匙，味精、鸡精各1/3小匙，植物油1大匙。

制作步骤

1 坐锅点火，加入适量清水烧开，放入切面煮熟，捞出沥干；蟹肉、生菜分别洗涤整理干净，切成3厘米长的小段。

2 锅再上火，加油烧至五成热，先下入葱末、姜末炒香，再放入生菜、蟹肉、切面炒至熟透。

3 然后加入精盐、味精、鸡精、米醋翻炒均匀，淋入香油，即可出锅装盘。

熟炒
鲜香爽滑

鸡丝香酥面

原料 拉面250克，鸡胸肉100克，鸡蛋清1个，香菇丝、冬笋丝、豌豆苗各适量。

调料 葱丝、姜丝、精盐、味精、料酒、水淀粉、高汤、植物油、熟猪油各适量。

制作步骤

1 将豌豆苗洗净，切成段；鸡胸肉洗净，剔去筋膜，切成丝，放入碗中，加入蛋清、水淀粉抓匀。

2 坐锅点火，加油烧热，下入拉面炸透，制成圆托状，待炸至呈浅黄色时，捞出沥油，装入盘中。

3 锅中加熟猪油烧热，下入鸡丝滑散，再加入葱丝、姜丝、豌豆苗、香菇丝、冬笋丝略炒，然后加入料酒、精盐、味精及高汤炒匀，浇在炸面上即成。

水煮
咸鲜清香

羊肉卤黑米面条

原料 黑米粉300克，高筋面粉100克，羊肉150克，西红柿、油菜、冬瓜各75克。

调料 葱丝、姜丝各10克，精盐1小匙，味精、白糖各少许，鲜汤500克，香油1大匙，植物油2大匙。

制作步骤

❶ 黑米粉内加入高筋面粉、精盐1/4小匙及适量凉水和成面团，稍饧，擀制成面条。

❷ 西红柿洗净，切成块；油菜择洗干净，切成段；冬瓜洗净，切成象眼块；羊肉洗净，切成小块。

扁豆面

原料 面粉500克，扁豆750克，猪肉250克。

调料 葱末、姜末、精盐、味精、八角、酱油、香油、食碱粉、高汤、植物油各适量。

制作步骤

❶ 将面粉放入盆中，加入精盐、食碱粉拌匀，再加入清水和成面团，盖上湿布，饧1小时，擀成面条。

❷ 将扁豆择洗干净，切成段；猪肉洗净，切成片。

❸ 锅中加油烧热，下入葱末、姜末煸香，再放入猪肉片炒至断生，然后加入精盐、酱油、扁豆段翻炒片刻，添入高汤，放入八角烧沸。

❹ 再放入面条，盖严锅盖，用中火烧约10分钟，待汤汁浓稠时，加入香油、味精调匀即成。

❸ 锅中加油烧热，下入葱丝、姜丝炒香，再放入羊肉块炒至变色，然后烹入料酒、鲜汤，下入冬瓜、油菜、西红柿、精盐和白糖烧开，汤汁滗入容器内，。

❹ 将黑面条均匀地铺在菜上，汤汁浇在面条上，上火烧开，盖上盖，用小火焖至八分熟。

❺ 用筷子将面条与菜挑匀，盖上盖，继续焖至面条熟透，加味精，淋入香油，出锅盛入碗内即成。

生焖
鲜香软嫩

鸡翅汤面

原料 面条500克，熟笋片400克，鸡翅膀16只，干香菇8朵。

调料 葱花15克，精盐、酱油、料酒、胡椒粉、水淀粉、高汤、植物油各适量。

制作步骤

① 将干香菇用清水泡透，去蒂后切成小片；面条放入沸水中煮熟，捞出沥干，装入碗中。

② 将鸡翅膀洗净，加入酱油、精盐、料酒和胡椒粉腌渍30分钟，放入热油中炸至金黄色，捞出沥油。

③ 锅中留底油烧热，下入葱花煸香，再加入高汤、鸡翅膀、笋片和香菇片烧至汤汁浓稠，用水淀粉勾芡，然后加入精盐、酱油调味，出锅浇在面条上即可。

西湖面

原料 面条100克，草鱼肉100克。

调料 葱丝、酱油、味精、白糖、米醋、胡椒粉、香油、淀粉、清汤、熟猪油各适量。

制作步骤

① 将酱油、白糖、米醋、胡椒粉、香油、味精、淀粉装入碗中，再加入清汤搅匀成卤汁。

② 将草鱼肉洗净，切片，用沸水烫熟，捞出沥干。

③ 将面条下入沸水锅中煮熟，捞出沥干，用熟猪油拌匀，装入盘中，再放上熟鱼片。

④ 锅中加入熟猪油烧至六成热，倒入卤汁，用勺不停地搅动，待卤汁烧沸，出锅浇在鱼面上，再撒上葱丝即可。

家常肘花面

原料 切面200克，酱肘花150克，青菜适量。

调料 葱末、姜末、蒜末各少许，精盐、味精各1/3小匙，料酒1/2大匙，高汤240克。

制作步骤

① 将酱肘子去骨，切成薄片；青菜洗净，下入沸水中焯烫一下，冲凉备用。

② 将高汤倒入碗中，加入精盐、味精、料酒调匀，制成味汁。

③ 坐锅点火，加入适量清水烧开，下入切面煮6分钟至熟，捞出投凉，装入碗中。

④ 再码上肘花，加入葱末、姜末、蒜末、青菜，浇入调好的高汤拌匀，即可上桌食用。

麻香什锦拌面

熟拌
酱香软嫩

原料 黑米粉150克，高筋面粉50克，熟鸡肉丝、熟火腿丝、黄瓜丝、黄花菜、胡萝卜丝、香菜叶各适量。

调料 蒜末20克，精盐、白糖各1小匙，味精1/2小匙，麻酱2大匙，熏醋、辣椒油、花椒油各2小匙。

制作步骤

① 黑米粉加入高筋面粉、精盐、清水和成面团，略饧，擀成面条；黄花菜用沸水焯熟透，捞出沥水。

② 麻酱内加温开水、精盐搅开成稀糊状，加入熏醋、味精、白糖、辣椒油、花椒油调成汁。

③ 锅中加水烧开，下入黑米面条煮熟，捞入碗中，码上鸡肉丝、黄花菜、黄瓜丝、胡萝卜丝、火腿丝，浇上调好的汁，撒上蒜末、香菜叶即成。

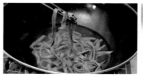

熟炒
咸鲜脆嫩

扬州脆炒面

原料 面条150克，猪瘦肉丝、虾仁各40克，鲜笋丝30克，韭芽段适量。

调料 酱油、味精、白糖、香油、清汤、淀粉各适量，植物油1000克。

制作步骤

① 将虾仁挑除沙线、洗净，放入碗中，加入淀粉抓匀、浆好，放入热油中滑散，捞出沥油。

② 锅留底油烧热，放入猪肉炒散，再下入笋丝、韭芽、清汤、酱油、白糖、虾仁、味精炒匀，出锅装碗。

③ 锅中加油烧热，下入面条炸至酥脆，滗去余油，再将小碗里的卤汁滗入锅中，盖上盖，待卤汁被面条吸尽，淋入香油，撒上虾仁、猪肉丝即成。

汤烩
咸鲜清香

羊肉烩面

原料 玉米面条200克，熟羊肉100克，黄花菜、韭薹段各25克，木耳15克，香菜段10克。

调料 葱花、姜丝各15克，料酒、酱油各2小匙，精盐、味精、羊骨汤、辣椒油、香油各适量。

制作步骤

① 将羊肉切成小丁；黄花菜用沸水焯透，捞出沥干，切成段；木耳洗净，切成小片。

② 锅中加入羊骨汤烧沸，下入玉米面条，用筷子轻轻拨散，加入料酒、酱油、精盐、木耳片烧开。

③ 待煮至玉米面条微熟，再下入羊肉丁、黄花菜、韭薹段煮至面条软熟，加入味精，淋入辣椒油、香油，出锅装碗，撒上香菜段、葱花、姜丝即成。

八鲜面

原料 面粉500克，黄瓜150克，猪瘦肉125克，蒲菜50克，熟笋、水发海米、青豆、熟鸡脯肉、蒸鸡蛋糕各25克。

调料 精盐1大匙，味精1/2小匙，猪肉汤1250克。

制作步骤

❶ 将面粉放入盆内，加入适量清水和好，擀成面条，下锅煮熟，盛入碗内；猪瘦肉、蒸鸡蛋糕、熟笋、熟鸡脯肉、黄瓜均切丁；蒲菜洗净，切段。

❷ 锅中加入清水烧沸，放入猪肉丁焯透，捞出。

❸ 另起锅，加入肉汤、海米、青豆、熟笋、蛋糕、黄瓜、蒲菜煮沸，再加入精盐、味精、猪肉丁、鸡肉丁，浇入面条碗内即成。

怪味凉拌面

原料 挂面200克。

调料 葱花、蒜末各少许，芝麻酱2大匙，味精、花椒粉、生抽、白糖、辣椒油各1/2小匙，香醋、植物油各1大匙。

制作步骤

❶ 将芝麻酱用凉开水调开；锅中加油烧热，放入花椒粉炒香，出锅；芝麻酱、香醋、生抽、白糖、辣椒油、味精和炒好的花椒粉拌匀调成"怪味汁"。

❷ 锅中加水烧开，下入挂面煮12分钟至熟，捞出投凉，沥干装碗。

❸ 将调好的"怪味汁"浇在面条上，再撒上葱花和蒜末，即可拌食。

茭白炒面

原料 面条、茭白各500克，猪瘦肉300克。

调料 酱油、味精、料酒、白糖、水淀粉、香油、高汤、植物油各适量。

制作步骤

① 将茭白择洗干净，切成丝；猪瘦肉剔去筋膜、洗净，切成丝。

② 将面条上屉，用旺火蒸熟，取出挑散，晾凉。

③ 锅中加油烧热，下入猪瘦肉丝炒至半熟，再加入茭白丝略炒。

④ 然后加入料酒、酱油、白糖、味精和高汤烧沸，用水淀粉勾芡，下入蒸熟的面条翻匀，再淋入香油，即可出锅装碗。

熟 炒
咸鲜清香

三大菌面

原料 熟面条、三大菌各500克。

调料 蒜片、川盐、味精、胡椒粉、鸡汤、鸡油、猪油各适量。

制作步骤

① 将鲜三大菌用刀削去茎部和顶盘部位上的黑粗皮，洗净，切成小块。

② 锅中加入熟猪油烧热，放入三大菌块和蒜片略炒，再加少许川盐、胡椒粉、鸡汤及味精，盖上锅盖，焖熟后加入鸡油推匀，制成面臊。

③ 取大碗，加入剩余的川盐、味精、胡椒粉和少许鸡汤调匀，放入熟面条，浇上面臊即成。

鲜虾云吞面

原料 挂面100克，馄饨皮10张，虾仁150克，猪肥肉50克，海米、紫菜各少许。

调料 葱花、姜末、精盐、味精、胡椒粉、鱼露、料酒、香油、胡椒粉、高汤各适量。

制作步骤

① 将虾仁洗净、切段；猪肥肉洗净，切成丁，加入虾段、鱼露、料酒、香油、胡椒粉、姜末拌匀成馅料；取馄饨皮1张，包入馅料，制成"云吞"。

② 锅中加水烧开，下入云吞、挂面煮熟，捞出装碗。

③ 另起锅，加入高汤、海米、紫菜，调入精盐、味精，见汤沸，倒入面碗中，撒上葱花即成。

水 煮
咸鲜软嫩

熟 拌
鲜香软嫩

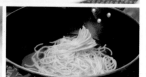

爆炒面

原料 面粉150克，羊肉75克，青椒、菠菜各30克。

调料 蒜片10克，精盐、味精、五香粉各1/2小匙，料酒、酱油各2小匙，米醋1小匙，植物油40克。

制作步骤

① 面粉加入少许精盐及适量清水和成面团，饧约10分钟，再擀成面片，切成片，下入开水锅中煮熟，捞出投凉，沥干水分。

② 羊肉洗净，切片；青椒去蒂及籽，洗净，切成条；菠菜择洗干净，切成小段。

③ 锅中加油烧热，下入羊肉片煸炒，再放入蒜片、五香粉、料酒、酱油、青椒条、菠菜段、面片煸炒，加入精盐、米醋、味精炒匀，出锅装盘即成。

酥羊大面

原料 面条150克，羊肉200克，红枣少许。

调料 姜块8克，精盐、味精、小茴香、桂皮各少许，白糖1大匙，酱油2大匙，料酒1小匙，猪油2小匙。

制作步骤

① 将羊肉洗净，切成块，放入锅中，加入清水烧煮20分钟，捞出羊肉，再加入精盐烧沸，原汤留用。

② 将姜块、红枣、小茴香、桂皮铺在蒸锅底面，再放入羊肉，加入原汤，上火烧沸，然后加入白糖、酱油、料酒，压上重物，用小火炖3小时，出锅待用。

③ 将面条下入清水锅中煮熟，捞出沥干。

④ 锅中加水烧沸，添入原汤，下入面条煮沸，然后加入味精，浇上猪油，出锅装碗，放上羊肉即成。

糖醋宽心面

原料 面粉300克，鸡蛋1个，黄瓜丝50克，熟芝麻仁10克。

调料 精盐1/2小匙，白糖2大匙，米醋1大匙，酱油1小匙，香油2小匙。

制作步骤

① 面粉放入容器内，磕入鸡蛋，加入清水和成面团，稍饧，先擀成长方片，再切成面条。

② 锅中加水烧开，下入面条，用中火煮至面条软熟，捞入凉水内投凉，捞出沥水，放入碗内。

③ 锅中加入清水，下入白糖、米醋、酱油、香油烧开，出锅浇在煮熟的面条上，撒上黄瓜丝、熟芝麻仁即成。

鸡杂炒面

原 料 面条300克,鸡心、鸡肝、鸡胗各100克,黄瓜片150克。

调 料 葱片、姜片、蒜片、精盐、味精、酱油、米醋、胡椒粉、水淀粉、料酒、植物油各适量。

制作步骤

❶ 锅中加入清水烧沸,下入面条煮熟,捞出过凉,放在屉布上,摊开晾干;酱油、料酒、米醋、精盐、味精、胡椒粉制成味汁。

❷ 将鸡心、鸡肝、鸡胗分别洗净,切成片,放入碗中,加入精盐、水淀粉抓匀上浆。

❸ 锅中加油烧热,下入鸡杂炒散,再加入葱、姜、蒜略炒,烹入味汁,放入面条、黄瓜片炒匀即成。

滑 炒
软嫩咸香

滑 炒
酱香软嫩

汤 煮
咸鲜微酸

蛋花番茄面

原 料 宽面条150克,鸡蛋、西红柿各2个。

调 料 精盐、味精、白糖各1/2小匙,料酒1小匙,葱花、胡椒粉、香油各少许,植物油1/2大匙,高汤2500克。

制作步骤

❶ 将西红柿去蒂、洗净,切成瓣;鸡蛋磕入小碗中,搅成蛋液。

❷ 坐锅点火,加油烧热,放入少许葱花炒出香味,烹入料酒,再加入高汤和精盐,见汤沸,下入面条煮8分钟至熟。

❸ 然后淋入蛋液煮至定型,再下入西红柿、味精、白糖、胡椒粉,撒上葱花,淋入香油即成。

香菇酱肉面

原 料 拉面200克,水发香菇100克,酱肉150克,红辣椒、青菜各适量。

调 料 葱末、姜末、精盐、味精、白糖、料酒、酱油、植物油各适量,高汤750克。

制作步骤

❶ 将香菇、酱肉、红辣椒分别整理干净,切成小丁;青菜洗净,切成段。

❷ 铝锅上火,加入清水烧沸,下入拉面煮约8分钟至熟,捞出装碗。

❸ 锅留底油烧热,爆香葱、姜,再加入香菇、酱肉、红辣椒略炒,然后加入精盐、味精、料酒、酱油、白糖、高汤烧沸,下入青菜略煮,浇入面碗中即成。

水煮
咸鲜适口

鹿茸鸡丝汤面

原料 面粉200克，鹿茸5片，熟鸡肉50克，水发海米10克，油菜15克。

调料 葱丝、姜丝、精盐、酱油、花椒水、味精、鸡、植物油、香油各适量。

制作步骤

❶ 鸡肉切成丝；油菜洗净，切成丝，放入沸水中焯烫一下，捞出沥水。

❷ 面粉加水和成面团，擀成大薄片，切成细扁条，放入沸水中煮熟，捞出过凉，装入碗内。

❸ 锅中加油烧热，爆香葱丝、姜丝，加入鸡汤、鹿茸片烧开，放入鸡丝、海米烧开，放入精盐、酱油、花椒水、味精、油菜、香油调匀，浇在面条上即成。

熟拌
咸鲜香辣

扇贝凉面

原料 面条500克，扇贝丝、豆芽、芝麻各适量。

调料 葱段、葱花、姜片、蒜泥、精盐、酱油、白糖、香醋、芝麻酱、花椒粉、香油、红油辣椒、料酒、胡椒粉各适量。

制作步骤

❶ 将绿豆芽洗净，掐去两头，下入沸水锅中烫熟，捞出沥干，用少许香油拌匀，晾凉。

❷ 锅中加水烧沸，下入姜片、葱段、料酒、胡椒粉煮香，再放入扇贝丝煮熟，捞出用香油拌匀。

❸ 将面条下入沸水锅中煮熟，捞入盘中，放上豆芽、扇贝丝盖顶，再浇上各种调料拌匀即成。

水煮
香辣软嫩

咖喱牛肉面

原料 细面条800克，牛肉500克。

调料 葱末25克，咖喱粉2小匙，精盐1大匙，味精1小匙，植物油3大匙。

制作步骤

❶ 将牛肉洗净，切成小条，放入沸水锅中烧煮约3小时至八分熟，捞出沥干，切成薄片。

❷ 锅中加入植物油烧热，放入葱末略炒，再加咖喱粉、牛肉汤、牛肉片煮约10分钟，捞出。

❸ 锅中加入清水烧沸，放入面条煮熟，盛入碗中，放上熟牛肉片，加入精盐、味精和煮沸的咖喱牛肉汤拌匀，即可上桌食用。

汤 煮
咸鲜软嫩

鸿图窝面

原料 伊面180克，熟蟹肉50克，熟火腿蓉少许，水发草菇10克，鸡蛋清40克。

调料 精盐、味精、胡椒粉各少许，水淀粉1小匙，上汤600克，植物油适量。

制作步骤

① 锅置火上，加入上汤50克烧沸，下入伊面煮熟，再加入精盐、味精调好口味，倒入碗中。

② 坐锅点火，加入上汤烧沸，先加入精盐、味精调好口味，再用水淀粉勾芡。

③ 然后放入草菇、蟹肉，徐徐倒入鸡蛋清推匀，再撒上胡椒粉，淋入明油调匀，出锅浇在伊面上，撒上熟火腿蓉即成。

白蘑肉丝面

原料 面粉500克，水发白蘑、猪瘦肉各50克，青椒25克。

调料 葱丝、姜丝各10克，精盐1小匙，味精、鸡精各1/2小匙，酱油、料酒各2小匙，鸡汤300克，花椒油3大匙，淀粉、辣椒油各2大匙。

制作步骤

① 面粉放入容器内，加入清水和成面团，稍饧，擀成大片，切成面条，再放入沸水中煮熟，捞出装碗。

② 猪肉、白蘑、青椒分别洗净，切成丝；猪肉丝用淀粉10克抓匀。

③ 锅中加花椒油烧热，放入肉丝炒熟，再放入葱丝、姜丝、料酒、酱油炒香，然后下入白蘑丝、鸡汤、精盐、鸡精烧开。

④ 再下入青椒、味精，用余下的淀粉勾芡成卤汁，出锅浇入面条碗中，配辣椒油一同上桌即成。

熟 拌
咸鲜香辣

鱼丸清汤面

原料 拉面150克，鱼丸4个，鸡蛋1个，青菜适量。

调料 葱末、姜末各少许，精盐、味精各1/2小匙，料酒1大匙，香油1/3小匙，植物油2大匙，高汤2500克。

制作步骤

① 将鸡蛋打散，摊成蛋皮，再切成细丝；青菜择洗干净。

② 坐锅点火，加入底油烧热，先放入葱末、姜末炒香，烹入料酒，加入高汤，见汤沸。

③ 再下入拉面、鱼丸煮熟，再加入精盐、味精调匀，撒上鸡蛋和青菜，淋入香油，出锅装碗即可。

口蘑豆腐汤面

原料 面条、豆腐各250克，水发口蘑70克。

调料 姜末、精盐、味精、酱油、胡椒粉、米醋、鲜汤、香油各适量。

制作步骤

① 将水发口蘑洗净，切成片；豆腐切成薄片，放入沸水锅中烫透，捞出沥干。

② 坐锅点火，加入鲜汤用旺火烧沸，先下入面条煮熟。

③ 再加入口蘑片、豆腐片、精盐、酱油、胡椒粉、味精和姜末烧沸，然后加入米醋，出锅装入碗中，再淋入香油即成。

鸡翅香菇面

原料 家常切面200克，酱鸡翅2只，西芹段100克，水发香菇适量。

调料 葱末、姜末各少许，精盐、味精各1/2小匙，料酒1大匙、鸡清汤750克，植物油2大匙。

制作步骤

① 铝锅上火加入清水烧沸，下入切面煮约6分钟至熟，捞入碗中。

② 坐锅点火，加入底油烧热，先放入葱末、姜末炒出香味，烹入料酒。

③ 再加入鸡清汤、酱鸡翅、香菇、精盐、味精，见汤沸，下入西芹段，离火，倒入面碗中即可。

酸辣凉捞面

原料 玉米面条200克,海带丝、绿豆芽各30克,香菜10克,辣白菜20克。

调料 蒜末15克,白糖、酱油各2小匙,米醋1大匙,精盐1/2小匙,味精少许,香油、辣椒油各1大匙。

制作步骤

① 海带丝、绿豆芽分别洗净,放入开水锅内焯透,捞出投凉,放入容器内;香菜择洗干净,切成段。

② 取小碗,加入酱油、米醋、精盐、白糖、味精、蒜末、香油、辣椒油及少许清水调成酸辣汁。

③ 锅中加水烧开,下入玉米面条煮熟,捞出投凉,放入装有海带丝和绿豆芽的容器内,放上辣白菜、香菜段,浇入酸辣汁拌匀即成。

三鲜家常面

原料 面粉1000克,虾仁、鸡肉各100克,水发海参50克,韭菜段适量。

调料 葱丝、精盐、味精、酱油、清汤、香油、碱粉各适量。

制作步骤

① 将面粉加入盐碱水、清水和成面团,稍饧,再擀成片,切成面条,放入沸水中煮熟,捞入碗中。

② 将水发海参、鸡肉洗净,均切成薄片;虾仁挑去沙线、洗净,切成薄片。

③ 锅中加入清汤、鸡肉片、海参、虾片、葱丝、酱油、精盐烧沸,再放入味精、香油、韭菜段略煮,浇入面条碗中即成。

三丝汤面

原料 细面条500克,猪肉丝100克,蛋皮丝25克,水发木耳丝50克。

调料 葱丝25克,姜末10克,精盐2小匙,味精1小匙,酱油1大匙,植物油、香油各2大匙。

制作步骤

① 锅中加入适量清水烧沸,放入面条煮熟,捞出装碗。

② 锅中加油烧至七成热,放入肉丝煸炒断生,再加入葱丝、姜末、酱油煸炒至入味,然后放入木耳丝炒至上色。

③ 再加入清水烧沸,加入精盐、味精、香油,撒入蛋皮丝制成三丝面卤,出锅装入面条碗中即成。

汤煮
鲜香软嫩

菠菜汤面

原料 玉米面条200克，熟猪五花肉75克，菠菜50克，水发木耳20克。

调料 葱末、姜末、酱油各10克，精盐1小匙，味精1/2小匙，猪骨汤400克，香油2小匙，植物油3大匙。

制作步骤

❶ 熟猪五花肉切成大薄片；菠菜、木耳分别择洗干净，菠菜切成段，木耳撕成小片。

❷ 锅中加油烧热，下入葱末、姜末炝香，下入肉片炒出油，加入酱油、猪骨汤、精盐、木耳片烧开，下入菠菜段、味精烧开，出锅装碗，淋入香油。

❸ 锅中加水烧开，下入玉米面条煮熟，捞入菠菜汤碗内即成。

五香羊肉面

原料 切面250克，羊肉200克，白萝卜50克。

调料 葱段、姜片、精盐、料酒、白糖、八角、桂皮各适量，红酱油、植物油各3大匙。

制作步骤

❶ 羊肉洗净，切成块；萝卜洗净，切成块，与羊肉一同放入沸水煮熟，拣去白萝卜，留汤待用。

❷ 另起锅，放入羊肉块、酱油和白糖烧至上色，再加入料酒、葱、姜、八角、桂皮、清水烧沸，改用小火焖煮2小时，淋入熟植物油，制成浇头。

❸ 将羊肉汤烧沸后加入精盐、味精、葱花及少许酱油、熟油调匀，盛入碗中，再将面条煮熟，投入盛有羊肉汤的碗中，然后淋入羊肉浇头即可。

水煮
咸鲜软嫩

香菇斑球面

原料 面条200克，石斑鱼肉200克，净油菜160克，香菇(罐头)1/2罐。

调料 姜片5克，葱白段10克，精盐、酱油、淀粉各1大匙，白糖2大匙，胡椒粉、植物油各适量。

制作步骤

❶ 将香菇取出，去汁；鱼肉去刺取肉，切成块，加入精盐、胡椒粉腌至入味，用热油滑熟，捞出沥油。

❷ 将面条下入沸水锅中煮熟，捞出投凉，下入热油中，煎至两面呈焦黄色，捞出沥油，装入盘中。

❸ 锅中加油烧热，下入姜片、葱段煸香，再放入香菇炒匀，然后放入鱼块、油菜，加入酱油、白糖炒匀，用水淀粉勾芡，浇在面条上即成。

熟拌 咸鲜适口

蟹肉炒面

原料 煎面底180克，蟹肉40克，叉烧肉片、净笋各10克，料菇5克，菜芫50克。

调料 精盐、味精各1/2小匙，胡椒粉少许，水淀粉2小匙，上汤125克，植物油1大匙。

制作步骤

❶ 将净笋切成指甲片；煎面底放入盘中；料菇、菜芫分别洗涤整理干净；蟹肉洗净备用。

❷ 锅中加油烧热，先下入菜芫、叉烧肉片、料菇、笋片稍炒，再加入上汤烧沸，用精盐、味精调味。

❸ 然后用水淀粉勾芡，放入蟹肉，撒上胡椒粉，淋入明油，出锅盖在煎面底上即成。

排骨宽心面

原料 面条500克，猪排骨500克。

调料 葱段、姜片、八角、桂皮、精盐、味精、白糖、排骨精、酱油、料酒、鸡汤、香油、植物油各适量。

制作步骤

❶ 排骨剁成段，放入沸水锅内略烫，捞出。

❷ 锅中加油烧热，放入葱段、姜片炸香，加入料酒、酱油、白糖、清水烧开，放入排骨块，加入精盐、八角、桂皮烧开，改用小火烧熟。

❸ 锅中加水烧开，下入面条煮熟，捞入碗内。

❹ 锅中加入鸡汤、精盐、酱油、味精、排骨精烧开，淋入香油，浇入面条碗中，再放上排骨段即成。

水煮 咸鲜软嫩

熟炒 鲜香嫩滑

鸡丝木耳炒面

原料 面条150克，鸡胸肉100克，水发木耳50克，鸡蛋清1个。

调料 精盐、鸡精各1小匙，味精少许，料酒2小匙，葱姜汁、淀粉各1大匙，鸡汤5大匙，植物油3大匙。

制作步骤

❶ 鸡胸肉、木耳分别洗净，切成丝；鸡肉丝放入容器内，放入蛋清、淀粉拌匀上浆。

❷ 锅中加入清水烧开，下入面条，用筷子轻轻拨散，用中火煮至软熟，捞出投凉，沥干水分。

❸ 锅中加油烧热，下入鸡丝、木耳丝炒熟，再烹入料酒、葱姜汁、鸡汤烧沸，再下入面条，加入精盐、鸡精、味精炒至入味，出锅装盘即成。

洛阳炒面

原料 面条500克，猪瘦肉、熟火腿各150克，青菜100克，熟鸡肉15克，红椒丝10克。

调料 葱丝100克，精盐1小匙，熟猪油200克。

制作步骤

❶ 将青菜洗净，切成段；熟火腿、熟鸡肉分别切成丝；猪瘦肉剔去筋膜、洗净，切成丝。

❷ 锅中加入熟猪油50克烧热，下入猪瘦肉丝炒至变色，再加入青菜、熟火腿丝、熟鸡肉丝、葱丝、红椒丝、精盐炒约30秒，制成炒料。

❸ 锅再上火，加入剩余的猪油烧热，放入面条煎炒至金黄色，将余油浧出，加入炒料，焖约1分钟，出锅装盘即可。

青椒生炒面

原料 面条200克，鱿鱼、虾仁、青椒丝各50克。

调料 葱末、姜末各10克，料酒、酱油各2小匙，精盐、鸡精各1小匙，胡椒粉少许，植物油100克。

制作步骤

❶ 虾仁用温水泡至回软；鱿鱼洗净，切成丝。

❷ 锅中加油烧热，下入葱末、姜末炒香，下入鱿鱼丝煸炒，烹入料酒、酱油，下入虾仁及泡虾仁的原汁、青椒丝、精盐烧开，出锅装碗。

❸ 锅中加油烧热，放入面条煎至两面呈微黄色，再倒入炒好的菜及汤汁炒匀，盖上盖。

❹ 然后用小火焖至汤汁将尽，加入鸡精、胡椒粉翻匀，出锅装盘即可。

刀削面

原料 刀削面150克，鸡蛋1个，熟猪五花肉100克，油菜心、白菜、蒜苗各适量。

调料 葱段少许，精盐、味精各1/3小匙，高汤2杯，植物油1大匙。

制作步骤

1. 猪肉洗净，切成片；白菜、蒜苗洗净，切成段。

2. 铝锅上火，加入适量清水烧沸，下入刀削面煮6分钟至熟，捞出装碗。

3. 锅中加油烧热，磕入鸡蛋煎好一面，再下入猪肉片、葱段爆香，加入高汤、精盐、味精烧沸。

4. 然后下入油菜心、白菜、蒜苗，待汤汁再略滚时，离火，盛入面碗中即可。

水煮 咸鲜清香

熟拌 软滑鲜香

水煮 咸鲜嫩滑

长寿面

原料 手擀面200克，熟鸡蛋1个，红烧肉、香菇、韭黄、青菜各适量。

调料 葱末、姜末、精盐、鸡精各少许，酱油、料酒、陈醋各1大匙，高汤750克，植物油2大匙。

制作步骤

1. 将熟鸡蛋去皮后一切两瓣；香菇去蒂，洗净，切成片；韭黄、青菜分别洗净，切成段。

2. 锅中加水烧沸，下入手擀面煮熟，捞入碗中。

3. 锅中加油烧热，放入红烧肉略炒，再下入葱末、姜末爆香，然后加入高汤、精盐、鸡精、酱油、料酒、陈醋烧沸，下入香菇、韭黄、青菜、鸡蛋煮熟，出锅浇入面碗中即成。

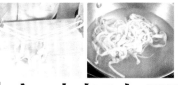

京味打卤面

原料 手擀面500克，熟猪肉片100克，水发香菇片、水发黄花菜、水发木耳、口蘑各20克，鸡蛋50克。

调料 葱段、姜片、大蒜、精盐、花椒、水淀粉、鸡精、老抽、香油各适量。

制作步骤

1. 将香菇、黄花、木耳、口蘑分别用热水浸泡发开，洗净；鸡蛋磕入碗中搅散。

2. 锅中加入煮肉的原汤，再下入香菇片、猪肉、黄花、木耳、口蘑炖煮20分钟，再加入精盐、鸡精、老抽，用水淀粉勾芡，然后加入蛋液，制成卤汁。

3. 锅加油烧热，下入花椒、姜炸香，浇在面卤中。

4. 面条用沸水煮熟，捞入碗中，浇上面卤即成。

水煮
鲜香软嫩

三色鱼丸面

原料 细挂面175克，鲜鱼肉蓉100克，胡萝卜末、菠菜末各30克，香菜叶10克，鸡蛋清1个。

调料 葱、姜、精盐、味精、胡椒粉各少许，料酒、水淀粉、香油各2小匙，鲜汤400克，熟猪油2大匙。

制作步骤

① 鱼肉蓉加入蛋清、料酒、胡椒粉、水淀粉、熟猪油、葱末、姜末、鲜汤、精盐、味精搅匀上劲；分成三等份，一份加入菠菜搅匀，一份加入胡萝搅匀。

② 锅中加入余下鲜汤、精盐，将三色鱼蓉挤成小丸子，下入汤中，用小火烧开。

③ 挂面下入汤锅，用小火煮熟，再加入余下的味精、香油、香菜叶，出锅装碗即可。

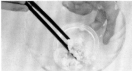

水煮
鲜鲜软滑

鱼汤小刀面

原料 小刀面200克，银鱼50克，青菜适量。

调料 葱段、姜片各少许，精盐、味精各1/2小匙，料酒1大匙，胡椒粉1/3小匙，植物油1/2大匙，鱼骨汤750克。

制作步骤

① 银鱼洗涤整理干净，青菜择洗干净，切成段。

② 锅中加水烧开，下入小刀面煮5分钟至熟，捞出装碗。

③ 坐锅点火，加油烧热，先下入葱段、姜片炒香，再添入鱼骨汤，捞去葱段、姜片。

④ 然后加入精盐、味精、料酒、胡椒粉、银鱼、青菜煮沸，倒入面碗中即可。

熟炒
咸鲜清香

三鲜炒面

原料 刀切黑面条200克，水发海参、水发鱿鱼、鲜虾仁各50克，菠菜20克。

调料 葱末、姜末、精盐、味精、白糖、鸡精、米醋、料酒、鲜汤、植物油各适量。

制作步骤

① 海参、鱿鱼、虾仁分别洗净；海参、鱿鱼均切成条；菠菜择洗干净，切成段。

② 锅内加水烧开，下入面条煮熟，捞出沥水。

③ 锅中加油烧热，下入葱末、姜末炒香，下入海参条、鱿鱼条、虾仁炒熟，烹入料酒、米醋、鲜汤炒匀。

④ 下入煮熟的面条、菠菜段、精盐、白糖、鸡精炒匀至熟，加入味精翻匀，出锅装盘即可。

辣味茄丝炒面

原料 面条500克，猪瘦肉150克，茄子200克。

调料 葱丝、姜丝、精盐、味精、酱油、料酒、白糖、辣椒粉、水淀粉、熟猪油、高汤各适量。

制作步骤

1. 将猪肉剔去筋膜、洗净，切成细丝，再加入料酒、水淀粉抓匀，浆好。
2. 将茄子去蒂、去皮，切成细丝，放入水中浸泡。
3. 锅中加水烧开，下入面条煮熟，捞出沥干。
4. 锅中加油烧热，下入浆好的猪肉丝滑散，再加入辣椒粉、葱丝、姜丝、料酒、酱油和茄子略炒，
5. 然后加入白糖、精盐、味精、高汤，下入熟面条炒匀，即可出锅装盘。

熟炒
香辣嫩滑

朝鲜冷面

原料 冷面500克，熟牛肉75克，熟鸡蛋1个，香菜25克，熟芝麻仁20克

调料 味精1/2小匙，白糖4小匙，酱油、白醋、香油各2小匙，辣椒油2大匙。

制作步骤

1. 冷面放入温水盆内泡至回软；熟牛肉切成片；熟鸡蛋切成两瓣；香菜洗净，切成小段。

2. 凉开水中放入白糖、白醋、酱油、味精、香油对成凉汁。
3. 锅中加水烧开，下入冷面条煮熟，捞出投凉，放入碗中，放上牛肉片、鸡蛋，撒上香菜、熟芝麻仁，淋入辣椒油，浇上凉汁即成。

熟炒
香甜微辣

藕丝炒面

原料 面条300克，猪肉100克，鲜藕200克。

调料 精盐、味精、酱油、料酒、白糖、白醋、香油、植物油各适量。

制作步骤

❶ 将面条放入沸水锅中煮熟，捞出放入清水中过凉，沥干水分。

❷ 将猪肉洗净，切成丝；鲜藕洗净，先切去藕节，再切成细丝。

❸ 坐锅点火，加油烧热，先下入猪肉丝略煸，烹入料酒、酱油炒匀，再放入藕丝翻炒。

❹ 然后加入白醋、白糖、精盐和熟面条炒至入味，再加入味精，淋入香油，出锅装盘即成。

双色鸡蛋面

原料 面粉100克，鸡蛋2个，对虾2只，香菜适量。

调料 精盐、味精、酱油、清汤各适量。

制作步骤

❶ 将对虾去壳和泥肠，洗净，从中片开，再切成片；鸡蛋磕开，将蛋黄、蛋清分别与50克面粉调和成面团，充分揉匀，稍饧后制成面条。

❷ 将两种面条生坯分别下入沸水锅中煮熟，沥干后放入碗中，一边黄色，一边白色，再将虾片放入煮面汤中焯熟，沥干水分。

❸ 锅中加入清汤浇沸，下入熟虾片、酱油、精盐、味精、香菜末烧沸，出锅浇在面碗中即成。

酸辣三丝面

原料 挂面150克，猪瘦肉、香菇丝、黄瓜丝各100克，青、红椒圈各适量。

调料 葱末、姜末、精盐、味精、胡椒粉、酱油、料酒、清醋、红辣椒油、高汤、香油、植物油各适量。

制作步骤

❶ 猪肉洗净，切丝，放入热油锅中炒至断生，再加入葱末、姜末、酱油、料酒炒至入味，出锅装碗。

❷ 铝锅上火，加水烧开，下入挂面煮约12分钟至熟，捞出装碗，码上"三丝"。

❸ 另起锅，加入高汤烧沸，放入青、红椒丝、清醋、红辣椒油、精盐、味精、胡椒粉、香油调好口味，浇入面碗中即可。

什锦炒面

熟炒
咸鲜清香

原料 熟面条200克,鸡肉丝、水发鱿鱼丝、虾仁各50克,香菇丝、胡萝卜丝、青椒丝各25克,蛋清1个。

调料 葱末、姜末、精盐、鸡精、味精、胡椒粉、酱油、料酒、淀粉、鸡汤、植物油各适量。

制作步骤

① 鸡肉丝、虾仁放入碗中,加入蛋清、淀粉拌匀。

② 锅中加油烧热,下入鸡丝、虾仁滑熟,捞出。

③ 锅留底油烧热,下入葱、姜炒香,再下入鱿鱼略炒,然后加入料酒、香菇、胡萝卜、青椒、酱油、精盐、鸡精、胡椒粉、鸡汤、鸡丝、虾仁烧开,出锅装碗。

④ 锅中加油烧热,下入面条炒散,再加入炒菜的汤汁,然后放入炒好的菜炒匀,加入味精即成。

熟拌
软滑咸鲜

什锦面

原料 面条400克,鲜鱿鱼、叉烧肉、净鸡翅肉、鲜虾仁、白菜片、甘笋片、荷兰豆、冬菇片各适量。

调料 葱段40克,精盐、酱油各3大匙,料酒1大匙,味精、胡椒粉、香油、水淀粉、鲜汤各适量。

制作步骤

① 将叉烧肉切成长片;鲜鱿鱼洗净,切成块。

② 锅中加油烧热,下入"什锦料"略炒,再加入鲜汤、酱油、料酒、精盐、胡椒粉、味精烧沸,然后放入葱段烧熟,用水淀粉勾芡,淋入香油制成什锦卤。

③ 将面条用沸水煮熟,捞出沥干,装入碗中。

④ 锅中加鲜汤烧沸,加入酱油、精盐、香油、胡椒粉、味精调匀,浇入面碗中,再放上什锦料即成。

熟拌
鲜香软滑

台湾风味凉面

原料 面条250克,熟鸡肉丝、熟火腿丝各100克,虾米75克,绿豆芽200克,黄瓜、榨菜末各适量。

调料 蒜泥、葱末、精盐、味精、米醋、酱油、花生酱、香油、辣油各适量。

制作步骤

① 将面条煮熟,捞出冲凉,加入香油拌匀。

② 将虾米洗净,用温水泡软,切碎,放入蒸笼内蒸熟,取出;绿豆芽洗净,用热水略烫后冲凉。

③ 黄瓜洗净,切丝;蒜泥、榨菜末、辣油、酱油、精盐、醋、味精、花生酱放在一起调成调味料。

④ 将凉面放入盘内,加入黄瓜、绿豆芽、火腿、鸡丝、葱末、虾米,浇上调味料拌匀即成。

狗肉汤面

原料 玉米面条200克，熟狗肉50克，胡萝卜、水发海带、百合各40克，韭菜25克。

调料 葱丝、姜丝各10克，精盐1小匙，味精、排骨精、米醋各1/2小匙，料酒、酱油、香油各2小匙，狗肉汤500克，植物油4小匙。

制作步骤

1. 胡萝卜、海带分别洗净，切成丝；百合洗净，掰开成瓣；韭菜择洗干净，切成段；熟狗肉切成丝。

2. 锅中加油烧热，下入葱丝、姜丝炝香，加入料酒、酱油、狗肉汤，下入胡萝卜丝、海带丝、百合花瓣、精盐、排骨精烧开。

3. 下入玉米面条，用筷子轻轻拨散，用小火烧开，下入狗肉丝烧透至面条软熟，加味精、米醋、韭菜段、香油，出锅装碗即成。

猪肝菠菜面

原料 切面200克，猪肝100克，菠菜30克，熟松子仁少许。

调料 葱末、姜末、胡椒粉、香油各少许，精盐、味精各1/2小匙，料酒1大匙，水淀粉1小匙，高汤750克。

制作步骤

1. 将猪肝洗涤整理干净，切成薄片，加入料酒、水淀粉腌制5分钟；菠菜择洗干净，切成小段。

2. 锅中加水烧开，下入面条煮熟，捞出装碗。

3. 锅中加入高汤，放入葱、姜、精盐、味精、胡椒粉，转小火保持微开，再下入猪肝、菠菜煮沸，然后倒入面碗中，再淋入香油，撒上松子仁即可。

如意炒面

原料 面条300克,鸡肉、豆芽各200克,蛋清1个。

调料 葱丝、姜丝、精盐、味精、米醋、淀粉、料酒、植物油各适量。

制作步骤

① 将豆芽掐去两端、洗净;鸡肉洗净,切成丝,加入精盐、料酒、鸡蛋清、淀粉抓匀,浆好备用。

② 将面条放入沸水锅中煮熟,捞出沥水。

③ 锅中加油烧热,放入豆芽煸炒片刻,再加入精盐、米醋炒匀,出锅备用。

④ 锅中加油烧热,下入鸡丝滑散,再加入葱丝、姜丝炒香,然后烹入料酒,放入熟面条和豆芽炒匀,再加入精盐、味精调味,即可出锅装盘。

熟炒 软滑鲜香

锅盖面

原料 面条130克,青头10克,虾子50克。

调料 酱油、白糖、味精、猪油各适量。

制作步骤

① 坐锅点火,加入适量清水,放入虾子煮约3分钟,再下入白糖煮至溶化,然后加入酱油烧沸,离火晾凉,装入碗中,制成虾子酱油。

② 将虾子酱油、猪油、味精、青头装入碗中调匀,制成味汁。

③ 将面条下入沸水锅中煮熟,捞入碗中,再浇上味汁及煮面汤,即可上桌食用。

兰花卤面

原料 荞麦挂面200克,大虾、西蓝花各50克。

调料 葱姜汁1大匙,精盐、味精各1/2小匙,鸡精1小匙,淀粉2小匙,鲜鸡汤150克,香油2小匙。

制作步骤

① 将西蓝花洗净,掰成小朵;大虾洗净,去掉虾须、虾足及沙线。

② 锅中加水烧开,下入挂面,用筷子轻轻拨散,用中火烧开煮至软熟,捞出投凉,放入碗内。

③ 锅中加入鲜鸡汤、葱姜汁、精盐,下入大虾、西蓝花烧开,加入鸡精、味精搅匀,用淀粉勾芡,淋入香油,出锅浇在煮熟的面条上即成。

熟煮 鲜香滑嫩

熟拌 咸鲜软滑

汤煮
咸鲜微辣

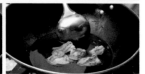

辣子鸡块面

原 料 面条300克,净仔鸡600克,干辣椒10克,鸡蛋2个。

调 料 精盐、味精各1/2小匙,花椒1小匙,料酒1大匙,酱油2大匙,鸡汤500克,植物油3大匙。

制作步骤

❶ 仔鸡洗净,剁成块,下入沸水中焯透,捞出沥水。

❷ 锅中加水烧开,下入面条,用筷子轻轻拨散,用中火烧开煮至软熟,捞出投凉,沥水后装盘。

❸ 锅中加油烧热,下入干辣椒、花椒炸香,烹入料酒、酱油,下入鸡块炒至变色。

❹ 再加入鸡汤和余下的精盐烧开,改用小火焖至熟烂,然后加味精,出锅浇在面条上拌匀即成。

虾仁伊府面

原 料 全蛋面150克,虾仁100克,冬菇、青豆、胡萝卜各适量。

调 料 葱末、姜末、胡椒粉、精盐、味精、白糖各少许,酱油、料酒、猪油各1大匙,高汤500克。

制作步骤

❶ 将虾仁挑去沙线、洗净;冬菇、胡萝卜均洗净、切片;上述原料和青豆均用沸水略焯,捞出沥干。

❷ 锅中加水烧沸,下入全蛋面煮熟,捞出沥干。

❸ 锅中加油烧热,放入葱末、姜末炒香。

❹ 再加入酱油、料酒、高汤,下入虾仁、冬菇、胡萝卜及全蛋面,转小火煨至浓稠,然后放入精盐、味精、白糖、胡椒粉和青豆煮匀,淋入明油即成。

汤煮
鲜香嫩滑

火腿肠炒面

原 料 面条175克,黄瓜75克,火腿肠100克。

调 料 葱末、姜末、精盐、鸡精、味精、白糖、酱油、料酒、肉汤、花椒油、植物油各适量。

制作步骤

❶ 黄瓜洗净,同火腿肠均切成象眼片。

❷ 锅内加水烧开,下入面条,用中火烧开,中间点水两次,煮至面条微熟,捞出投凉,沥去水分。

❸ 锅中加油烧热,放入葱末、姜末炝香,再下入黄瓜片略炒一下,然后放入面条炒匀。

❹ 再下入火腿肠片,倒入用全部调料调成的汁炒开,淋入花椒油,出锅装盘即成。

熟炒
椒香嫩滑

珍珠面

原料 面粉150克,鸡蛋清2个。

调料 香葱花、料酒、胡椒粉各少许,精盐、味精各1/2小匙,鸡汤750克,植物油1大匙。

制作步骤

❶ 将面粉加入蛋清和适量清水调和成面糊。

❷ 铝锅上火,加入适量清水烧沸,用不锈钢漏勺的圆眼将面糊过滤,淋在沸水中,煮5分钟至熟,捞出装碗。

❸ 坐锅点火,加油烧热,先下入葱花炝锅,烹料酒,再添入鸡汤,加入精盐、味精、胡椒粉,见汤沸,倒入面碗中即可。

汤煮 咸鲜清香

熟拌 鲜香爽滑

肉丝干拌面

原料 熟面条500克,熟猪肉丝40克,海米10克,黄瓜丝、腌香椿末各适量。

调料 精盐、味精、麻酱、酱油、香醋、香油、凉清汤各适量。

制作步骤

❶ 将海米用温水泡透;煮熟的面条用凉开水过凉,沥干水分,分装入两只碗中。

❷ 将酱油放入碗中,加入精盐、香醋、味精、香油、凉清汤,调匀成味汁,浇入面条碗中。

❸ 再将熟猪肉丝、黄瓜丝、腌香椿末、海米及麻酱放在面条上,食用时拌匀即可。

汤煮 软滑咸鲜

雪菜肉丝面

原料 拉面200克,雪里蕻段100克,猪瘦肉150克,红椒丝、豆芽、芹菜段各少许。

调料 精盐、味精、香油各少许,酱油、料酒各1/2大匙,水淀粉1大匙,高汤500克,猪油2大匙。

制作步骤

❶ 将猪瘦肉洗净、切丝,加入酱油、料酒、水淀粉拌匀,腌5分钟;豆芽掐去两头,洗净。

❷ 锅中加水烧沸,下入拉面煮熟,捞出装碗。

❸ 坐锅点火,加入猪油烧热,下入肉丝炒散,加入少许精盐,下入雪里蕻略炒。

❹ 再放入高汤、红椒丝、芹菜、豆芽,然后调入精盐、味精煮匀,倒入面碗中拌匀即成。

熟拌
香麻酸辣

麻香凉捞面

原料 细荞麦面条200克，西蓝花、黄豆芽各30克，水发木耳丝、黄瓜丝、胡萝卜丝各15克。

调料 酱油、白糖、白醋、精盐、味精、芝麻酱、蒜泥、香油、辣椒油各适量。

制作步骤

① 西蓝花洗净，掰成小朵，与黄豆芽一同用沸水焯透，捞出沥水，放入同一容器内。

② 芝麻酱内加入精盐、凉开水、酱油、白醋、白糖、味精、蒜泥、香油、辣椒油调成麻香酸辣汁。

③ 锅内加水烧开，下入荞麦面条煮熟，捞入盛有西蓝花和黄豆芽的容器内，再放上木耳丝、胡萝卜丝、黄瓜丝、香菜段，浇上麻香酸辣汁拌匀即成。

水煮
嫩滑咸鲜

韭黄阳春面

原料 切面200克，韭黄、白玉兰各50克。

调料 葱丝、姜丝各少许，精盐、味精各1/2小匙，酱油1小匙，高汤750克，植物油1大匙。

制作步骤

① 将韭黄、白玉兰洗净，切成小段。

② 铝锅上火，加入适量清水烧沸，下入切面煮约8分钟至熟，捞入碗中。

③ 坐锅点火，加油烧热，先放入葱丝、姜丝炒香，添入高汤，再加入酱油、精盐、味精，见汤沸。

④ 然后下入韭黄、白玉兰略煮，离火，倒入面碗中即可。

熟拌
酱香嫩滑

家常炸酱面

原料 切面200克，肉馅50克，鸡蛋1个，水发香菇丁少许。

调料 东北大酱、酱油各1大匙，料酒、白糖各1/2大匙，味精、香油各1/3小匙，高汤500克，花生油、甜面酱各2大匙。

制作步骤

① 将切面放入沸水锅中，加入少许精盐，煮约10分钟至熟，捞入面碗中，再添入煮沸的高汤。

② 锅中加油烧热，将鸡蛋打散，下锅炒熟，盛出，再放入猪肉馅炒至变色，然后加入甜面酱、大酱、酱油、料酒、白糖、味精及炒好的鸡蛋炒至入味，待酱汁稠浓，淋入香油，出锅装入面碗中即可。

奶汤海参面

原料 手工面条400克，水发海参250克，熟鸡肉、熟火腿、冬笋各适量。

调料 精盐、味精、奶汤、胡椒水、鸡油各适量。

制作步骤

① 将水发海参洗涤整理干净，切成小片；熟鸡肉、熟火腿分别切成指甲片；冬笋去掉老硬部分，切成指甲片，放入沸水锅中煮透，捞出沥干。

② 锅加奶汤烧沸，放入鸡肉、火腿、冬笋、精盐、味精、胡椒水烧沸，下入海参，淋入鸡油，制成面臊。

③ 将手工面条下入沸水锅中煮熟，捞出沥干，均分装入碗中，再分别浇上面臊，即可上桌食用。

海带肉丝面

原料 刀切面条150克，水发海带、牛肉各75克，海米20克，菠菜段40克

调料 葱丝、姜丝、精盐、味精、排骨精、泡打粉、胡椒粉、料酒、酱油、水淀粉、鲜汤、植物油各适量。

制作步骤

① 将海带入蒸锅蒸至软烂，取出；海带、牛肉均切成丝；牛肉丝用泡打粉拌匀，再用水淀粉上浆。

② 刀切面条入沸水中煮熟，捞入冲凉。

③ 锅中加油烧热，放入葱丝、姜丝炝香，再下入牛肉丝炒至变色，然后下入海带丝、料酒、酱油、鲜汤、海米、精盐、胡椒粉、排骨精炒透。

④ 再下入菠菜炒熟，下入刀切面条、味精炒匀，出锅装盘即成。

肉丝油面

原 料 油面500克，猪瘦肉250克，白菜丝100克。

调 料 葱花25克，味精1小匙，酱油2大匙，胡椒粉少许，水淀粉、肉汤各适量，香油100克。

制作步骤

① 将猪瘦肉剔去筋膜、洗净，切成细丝，放入碗中，加入水淀粉抓匀；油面放入沸水中煮熟。

② 锅中加入香油烧热，下入猪肉丝略炒，再加入酱油炒至断生，然后放入白菜丝略炒。

③ 再添入肉汤烧沸，加入葱花、味精、胡椒粉、香油，用水淀粉勾芡，出锅装入盆中，制成浇汁。

④ 取5个碗，分别放入香油、味精、葱花、胡椒粉，浇入原汤，再捞入油面，淋上浇汁，拌匀即可。

陕西猫耳面

原 料 猫耳面150克，木耳、海带结、胡萝卜、鲜竹笋各适量。

调 料 葱末、姜末、胡椒粉、精盐、味精各少许，料酒、香油各1小匙，高汤750克，植物油1大匙。

制作步骤

① 将木耳、海带结泡发回软，择洗干净；胡萝卜洗净，切花刀片；鲜竹笋洗涤整理干净，切成段。

② 锅中加水烧开，下入猫耳面煮熟，捞出装碗。

③ 锅中加油烧热，下入葱末、姜末炒香，再烹入料酒，加入高汤、精盐、味精，料酒、胡椒粉烧开。

④ 然后下入木耳、海带结、胡萝卜片、鲜竹笋段略煮2分钟，再淋入香油，倒入碗中即可。

羊汤面

原 料 精面粉200克，羊肉丝50克，香菜末少许。

调 料 葱末、姜末、精盐、味精、酱油、花椒粉各少许，香油1小匙，羊汤300克，植物油1大匙。

制作步骤

① 将精面粉放入盆中，加入适量温水，调和成面团（要硬一点），揉匀后擀成大薄片，再切成细面条，放入沸水锅中煮至八成熟，捞出沥干。

② 坐锅点火，加油烧热，先下入羊肉丝略炒，再加入葱末、姜末、酱油、花椒粉、精盐、羊汤烧沸。

③ 然后下入面条，待再次烧沸后加入味精、香菜末，淋入香油即成。

第5天
软糯米饭喷喷香

素四宝烩饭

烧 烩
咸鲜浓香

原料 大米75克，口蘑、金针蘑、冬菇、鸡腿菇各50克，胡萝卜、荷兰豆各25克。

调料 葱末、姜末各少许，精盐、味精、白糖、胡椒粉、水淀粉、香油各适量，酱油、料酒各2小匙，高汤250克，植物油1大匙。

准备工作

❶ 荷兰豆撕去豆筋，洗净，切成菱形片。

❷ 胡萝卜去皮，切成片，用沸水焯透，捞出沥水。

❸ 大米淘洗干净，加入清水，上屉蒸熟，盛入盘中。

❹ 口蘑去蒂、洗净，切成两半；金针蘑去蒂、洗净，切成段。

❺ 鸡腿菇去蒂、洗净，切成小条；冬菇用温水泡发，洗净。

❻ 锅中加清水烧沸，放入口蘑、金针蘑、鸡腿菇、冬菇焯烫。

制作步骤

❶ 锅中加油烧热，下入葱末、姜末炒香，放入口蘑、金针蘑、鸡腿菇，冬菇、荷兰豆、胡萝卜片炒匀。

❷ 加入精盐、味精、白糖、料酒、胡椒粉、酱油，添入高汤烧沸。

❸ 用水淀粉勾芡，淋入香油，浇在大米饭四周即可。

原料 米饭300克，牛肉150克，青椒、黄椒、红椒各50克，洋葱30克，香菇2朵，鸡蛋1个。

调料 精盐、醪糟、淀粉、酱油各1小匙，胡椒粉1/2小匙，植物油适量。

准备工作

❶ 牛肉去筋膜、洗净，切成小丁，放入碗内，加入酱油、醪糟、淀粉调匀，腌渍10分钟。

❷ 青椒、黄椒、红椒去蒂及籽，洗净，切成小丁。

❸ 香菇用清水泡软，洗净，切成小丁；鸡蛋磕入碗中搅散；洋葱去皮、洗净，切成小粒。

制作步骤

① 锅中加油烧热，倒入调好的鸡蛋液炒至定浆，盛出。

② 锅中加油烧热，放入牛肉丁滑至变色，盛出。

③ 锅中余油烧热，放入香菇丁、洋葱丁炒香。

④ 加入米饭快速炒散，再放入青椒丁、红椒丁、黄椒丁炒匀。

⑤ 放入牛肉丁、鸡蛋，加入精盐、胡椒粉炒匀，即可出锅装碗。

彩椒牛肉炒饭

熟炒
咸鲜微甜

原 料 带皮五花肉400克，大米250克，荷叶1张，香菜段少许。

调 料 葱花、味精、五香粉、白糖、料酒各少许，香油1小匙，酱油1大匙，卤水适量。

准备工作

❶ 大米淘洗干净，放入清水中浸泡30分钟，再放入锅中，用微火炒至米粒膨胀、熟透，盛出。

❷ 荷叶洗净，入沸水锅内烫软，取出冲净，沥水。

❸ 带皮五花肉洗净，放入清水中浸泡，切成块。

❹ 放入清水中烧沸，焯烫出血污，捞出沥水。

❺ 猪肉放入卤水中烧沸，转小火卤至刚熟，捞出。

❻ 加大米、酱油、白糖、五香粉、料酒、味精拌匀，腌30分钟。

制作步骤

❶ 荷叶铺入蒸笼内垫底，放入猪肉块和大米。

❷ 放入蒸锅内烧沸，用旺火蒸约30分钟至肉块熟烂入味。

❸ 取出蒸笼，趁热撒上葱花、香菜段，淋入香油，上桌即可。

荷香卤肉饭

锅蒸
咸鲜卤香

家常石锅拌饭

熟拌
咸鲜微酸

原 料 大米150克，鸡蛋1个，肉松、山野菜、豆芽、菠菜、辣白菜各适量。

调 料 大葱、姜片、蒜瓣各5克，辣椒酱2大匙，白糖1小匙，味精、香油各1/3小匙，鲜汤适量，植物油3大匙。

准备工作

❶ 大米淘洗干净，放入清水中浸泡30分钟。

❷ 大葱、姜片、蒜瓣分别洗净，切成末。

❸ 辣白菜切成条；山野菜去根、洗净，切成段。

❹ 豆芽去根、洗净；菠菜择洗干净、切成小段。

❺ 锅中加入清水烧沸，分别放入菠菜、豆芽、野菜焯水，捞出。

制作步骤

❶ 大米放入石锅，加入适量清水，上屉焖30分钟取出。

❷ 将辣白菜条、豆芽菜、山野菜和肉松摆在蒸好的米饭上。

❸ 锅中加入植物油烧至六成热，下入葱末、姜末、蒜末炒香。

❹ 加入辣椒酱、味精、白糖、香油、鲜汤煮沸，倒入石锅中。

❺ 锅加底油烧热，打入鸡蛋煎至一面定形，摆在饭上即可。

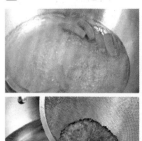

原 料 米饭300克，猪排200克，甜豌豆、胡萝卜各25克，大白菜少许。

调 料 葱花、姜末、蒜末、八角、花椒、五香粉、料酒各少许，白糖4小匙，酱油3大匙，植物油适量。

准备工作

❶甜豌豆择洗干净，用沸水略焯，捞出沥水。

❷白菜取嫩白菜帮，洗净，切成小条；胡萝卜去皮，洗净，切成片，放沸水中焯烫至熟，捞出。

❸猪排放入淡盐水中浸泡片刻，捞出洗净。

❹加入葱、姜、蒜、五香粉、料酒、白糖、酱油腌渍30分钟。

制作步骤

❶煎锅加油烧热，下入猪排炸熟，捞出沥油。

❷锅中加入清水、八角、花椒、白糖、酱油烧5分钟成卤汁。

❸放入煎好的猪排，用小火卤5分钟至熟烂入味，捞出猪排。

❹锅内卤汁过滤去杂质，放入白菜条烧煮片刻，取出白菜条。

❺米饭装盘，放上猪排、白菜、豌豆、胡萝卜，浇上卤汁即可。

中式猪排盖饭 （干烧 咸鲜浓香）

滑蛋虾仁烩饭 清烩
咸鲜爽滑

原料 大米75克，虾仁12只，豌豆粒、胡萝卜、水发香菇各15克，鸡蛋2个。

调料 蒜末10克，精盐、胡椒粉、香油各1/2小匙，白糖1小匙，料酒、淀粉各1/2大匙，白醋少许，水淀粉2大匙，植物油适量。

准备工作

1 鸡蛋磕入碗中搅打成鸡蛋液；豌豆粒洗净。

2 胡萝卜洗净，切成丁；香菇去蒂、洗净，切丁。

3 大米淘净，加入适量清水，上屉蒸成米饭，盛入盘中。

4 虾仁去沙线，洗净，放在洁布上攥干水分。

5 放入碗中，加入精盐、淀粉抓匀，腌渍10分钟。

制作步骤

1 锅中加油烧至七成热，下入蒜末煸炒出香味。

2 放入豌豆、胡萝卜丁、香菇丁、虾仁炒匀，添入清水煮沸。

3 加入料酒、精盐、白糖、胡椒粉、白醋、香油调味，撇去浮沫。

4 淋入鸡蛋液煮至凝固，用水淀粉勾浓芡，浇在米饭上即成。

165

腊肉煲仔饭 烧焖
清香鲜嫩

原料 大米200克，广式腊肠100克，腊肉、菜心各50克，杭椒15克，香菜10克。

调料 葱段、姜片各少许，白糖、味精各1小匙，酱油2大匙，蚝油1/2大匙，料酒1大匙，高汤4大匙。

准备工作

❶ 大米淘洗干净；菜心去根和老叶，洗净。

❷ 香菜取嫩叶，洗净；杭椒洗净，剁成碎粒。

❸ 腊肠、腊肉放入冷水盆内刷洗干净，捞出沥水，放入碗中。

❹ 放入葱段、姜片、料酒腌透，上屉蒸熟，取出晾凉，切成片。

制作步骤

❶ 大米放入煲仔内，加入清水，置旺火上烧沸。

❷ 转小火焖30分钟，码入腊肉、腊肠和菜心。

❸ 用微火继续焖15分钟至米熟，端离火口。

❹ 另起锅，加入高汤、酱油、蚝油、料酒、白糖、味精煮沸。

❺ 撒入杭椒碎粒、香菜叶炒匀，倒入碗中成味汁。

❻ 随腊肉煲仔饭一起上桌，食用时浇入煲仔饭中拌食即可。

原 料 排骨200克,黄瓜150克,大米75克。

调 料 姜末、蒜末各10克,精盐1小匙,红糖2大匙,冰糖、料酒、植物油各1大匙。

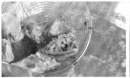

🔽 准备工作

❶ 大米淘净,放在小盆内,加上少许清水,上屉蒸熟成饭。

❷ 黄瓜洗净,擦净水分,去皮、去瓤,切成片。

❸ 排骨洗净,剁成小块,加入料酒拌匀,放入清水锅中烧沸,焯烫一下,捞出控净水分。

🔽 制作步骤

❶ 锅中加入植物油烧热,下入姜末、蒜末爆香。

❷ 放入红糖略炒出香味,加入料酒、冰糖及适量清水煮沸。

❸ 放入排骨块,小火煮约50分钟至排骨熟透成红糖排骨。

❹ 将蒸好的米饭盛入盘中,放上红糖排骨,摆上黄瓜片即可。

红糖排骨盖饭

蒸扣
清鲜咸香

口蘑菜心炒饭

原料 大米饭200克,口蘑75克,菜心粒15克,鸡蛋1个。

调料 葱末、姜末、味精、胡椒粉各少许,精盐1/3小匙,植物油1大匙。

制作步骤

① 将口蘑洗净,一切4瓣,下入沸水中焯透,捞出沥干;鸡蛋打入碗中,搅成蛋液。

② 炒锅上火,加入底油烧热,先放入蛋液炒至定浆,再加入葱末、姜末炒香。

③ 然后下入口蘑、大米饭翻炒片刻,再加入精盐、味精、胡椒粉,撒入菜心粒,拌炒均匀即可。

木瓜火腿蒸饭

原料 泰国大米100克,黑米50克,饭豆30克,木瓜1个,金华火腿粒15克,香菇丁30克。

调料 白糖适量。

制作步骤

① 将木瓜用插刀一分为二,瓜肉切成小丁;大米淘洗干净,放入清水中浸泡3小时,捞出;黑米和饭豆淘洗干净,放入清水中浸泡8小时,捞出沥干。

② 将大米和火腿粒、香菇丁、白糖一起拌匀,放在一半木瓜上;黑米、饭豆和木瓜丁一起拌匀,放在另一半木瓜上。

③ 将两块木瓜上屉,用旺火蒸45分钟至熟,取出装盘,即可上桌食用。

滑蛋蟹柳烩饭

原料 大米饭200克,蟹足棒2根,鸡蛋1个,鲜芦笋、鲜香菇各适量,黑芝麻少许。

调料 精盐、味精、胡椒粉、水淀粉各少许,高汤500克。

制作步骤

① 将蟹足棒切段,下入沸水中焯烫一下,捞出沥干;鸡蛋磕入碗中,搅成蛋液。

② 鲜芦笋洗净、切段;香菇去蒂、洗净,切成丁,与鲜芦笋分别下入沸水中烫透,捞出沥水。

③ 锅中加入高汤、精盐、味精、胡椒粉、芦笋、香菇烧沸,放入蟹柳,用水淀粉勾芡,然后淋入蛋液煮成蛋花,淋入香油,盛入盘中,撒上黑芝麻即成。

火腿青菜炒饭

[原料] 大米饭200克，三文治火腿丁30克，粟米粒15克，青豆、油菜各适量，鸡蛋1个。

[调料] 精盐1/3小匙，味精、胡椒粉各少许，植物油1大匙。

制作步骤

① 将油菜洗净、切成小段；粟米粒、青豆分别洗净，与油菜一起下入沸水中烫透，捞出沥水；鸡蛋磕入碗中，搅散成蛋液。

② 坐锅点火，加油烧热，先下入蛋液炒至定浆，再下入火腿丁、米饭炒散。

③ 然后加入粟米、青豆、油菜段、精盐、味精、胡椒粉，翻炒至均匀入味，即可出锅装碗。

熟炒
鲜香软嫩

熟炒
豉香软嫩

阳姜豆豉炒饭

[原料] 大米饭200克，虾仁100克，火腿丁50克，鸡蛋1个，青椒粒、红辣椒粒各15克，青豆少许。

[调料] 姜末5克，精盐1/3小匙，味精、胡椒粉各少许，豆豉1/2大匙，植物油2大匙。

制作步骤

① 将虾仁挑除沙线、用清水洗净；鸡蛋打入碗中，搅成蛋液。

② 锅中加底油烧热，先放入鸡蛋液炒至定浆，再下入虾仁、豆豉、姜末、火腿丁煸炒片刻。

③ 然后加入大米饭、青椒粒、红辣椒粒、青豆、精盐、味精、胡椒粉拌炒均匀，出锅装碗即可。

熟炒
葱香软嫩

香葱豆干炒饭

[原料] 白米饭200克，豆腐干50克，猪肉馅适量。

[调料] 香葱、白糖、味精各少许，精盐1/4小匙，料酒1小匙，植物油2大匙。

制作步骤

① 将豆腐干切成小丁，下入沸水中烫透，捞出沥干；香葱洗净，切成葱花。

② 坐锅点火，加油烧热，先放入肉馅煸炒至变色，烹入料酒。

③ 再下入豆腐干丁、大米饭略炒一下，然后加入精盐、味精、白糖翻炒均匀，撒上香葱花，即可出锅装盘。

锅蒸
鲜香软嫩

粉蒸排骨饭

原料 大米250克，猪排骨200克，荷叶1张，香菜段少许。

调料 葱花、白糖、料酒、味精、胡椒粉各少许，酱油1大匙，香油1小匙。

制作步骤

❶ 将大米淘洗干净，放入砂锅中，用微火慢炒至米粒膨胀、变白，熟透后出锅。

❷ 将排骨洗净，与大米、酱油、白糖、料酒、味精、胡椒粉、香油一起拌匀，腌制30分钟。

❸ 将荷叶洗净，下入开水锅中烫软，取出冲净，铺入蒸笼内。

❹ 将腌好的排骨和米饭放在荷叶上，用旺火蒸约40分钟，取出，撒上葱花、香菜，即可上桌食用。

坛肉米饭

原料 大米饭200克，带皮猪五花肉250克，胡萝卜条、黄瓜条、红干椒各适量。

调料 葱花、葱段、姜片、料酒、酱油、冰糖、味精、桂皮、八角、草果、植物油各适量。

制作步骤

❶ 将五花肉洗净，切成块，下入热油中炸成金黄色，捞出沥油。

❷ 锅中加油烧热，爆香葱、姜，再放入红干椒和五花肉、料酒、酱油、冰糖、味精、桂皮、八角、草果、清水烧沸，倒入坛中，转小火焖45分钟，离火装碗。

❸ 将白米饭扣入盘中，撒上香葱，用胡萝卜条、黄瓜条码边，配坛肉上桌即可。

红焖
咸香微辣

菜包饭

原料 大米饭150克, 西生菜、蛋皮丝、肉丝各适量。

调料 香葱粒、胡椒粉各少许, 精盐、味精各1/3小匙, 酱油、料酒、植物油各1/2大匙。

制作步骤

① 将西生菜洗净, 下入沸水锅中焯烫一下, 捞出沥干水分。

② 坐锅点火, 加油烧热, 先下入酱油、料酒和肉丝煸炒至熟。

③ 再下入大米饭和蛋皮丝, 加入精盐、味精、胡椒粉炒拌均匀, 然后撒入香葱粒, 出锅, 装在西生菜中即可。

熟炒
咸鲜清香

咸鱼豆芽炒饭

原料 白米饭200克, 咸鱼粒30克, 黄豆芽适量。

调料 葱花10克, 精盐1/4小匙, 味精、胡椒粉各少许, 植物油1大匙。

制作步骤

① 将咸鱼粒先用温水泡软, 沥干水分, 再下入热油中炸熟, 捞出沥油; 黄豆芽择洗干净, 下入沸水中焯透, 捞出沥干。

② 炒锅上火烧热, 加入底油, 先放入葱花爆香, 再下入咸鱼粒、黄豆芽、大米饭翻炒片刻, 然后加入精盐、味精、胡椒粉炒拌入味即可。

扬州炒饭

原料 大米饭200克, 虾仁50克, 火腿丁15克, 鸡蛋1个, 青豆少许。

调料 葱花10克, 精盐、味精、料酒、鸡蛋清、淀粉、胡椒粉各少许, 植物油适量。

制作步骤

① 将虾仁挑除沙线、洗净, 用蛋清、料酒、精盐腌拌入味; 火腿丁、青豆放入沸水中焯透, 捞出沥干; 鸡蛋打入碗中, 搅成蛋液。

② 锅中加油烧温, 放入虾仁滑散, 捞出沥油。

③ 锅留底油, 放入蛋液炒散, 加入葱花, 放入米饭、火腿、虾仁、青豆、精盐、味精、胡椒粉炒匀即成。

熟炒
咸鲜适口

熟炒
鲜香软嫩

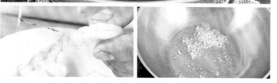

烧烩
鲜香软嫩

海鲜烩饭

原料 大米饭、高粱米饭各100克,大虾仁6只,墨鱼仔4只,鲜贝2粒,胡萝卜片、冬菇片各少许。

调料 葱、姜、蛋清、精盐、淀粉、酱油、白糖、味精、胡椒粉、高汤、水淀粉、香油、植物油各适量。

制作步骤

❶ 将墨鱼仔、鲜贝分别洗净;大虾仁挑除沙线、洗净,与墨鱼仔、鲜贝一起放入碗中,用蛋清、精盐、玉米淀粉略腌,再用开水略焯,捞出沥干。

❷ 锅中留底油烧热,放入葱末、姜末炒香,再加入高汤、酱油、白糖、味精、胡椒粉烧沸,下入大虾仁、墨鱼仔、鲜贝、胡萝卜、冬菇煮约2分钟,然后用水淀粉勾芡,淋入香油,出锅浇在饭上即可。

叉烧酱油炒饭

原料 白米饭200克,叉烧肉50克,鸡蛋1个。

调料 香葱15克,酱油3大匙,料酒、白糖各1小匙,味精、胡椒粉各少许,植物油1大匙。

制作步骤

❶ 将叉烧肉切成小菱形片;香葱洗净,切成葱花;鸡蛋磕入碗中,搅成蛋液。

❷ 坐锅点火,加油烧热,先下入香葱花炒出香味,再烹入料酒,加入叉烧肉、酱油、白糖、味精、胡椒粉略炒一下。

❸ 然后下入大米饭拌炒至均匀入味,待大米饭变色时,淋入鸡蛋液翻拌至定浆,即可出锅装盘。

熟炒
鲜香软糯

海南鸡饭

原料 白米饭200克,鸡腿肉250克,胡萝卜30克。

调料 葱段、姜片各少许,精盐、味精、白糖、胡椒粉各适量,酱油、料酒、蚝油各1大匙,高汤250克,植物油2大匙。

制作步骤

❶ 将鸡腿肉洗净,切成小块;胡萝卜洗净,切成小丁,下入沸水中烫透,捞出沥水。

❷ 锅中加油烧热,下入鸡肉炸至金黄,捞出沥油。

❸ 锅中留底油烧热,放入葱段、姜片炒香,再加入高汤、酱油、料酒、蚝油、精盐、味精、白糖、鸡块烧沸,转小火慢煨至熟,见汤汁浓稠时,下入胡萝卜丁、大米饭炒匀,撒入胡椒粉,出锅装盘即可。

熟炒
鲜香适口

虾皮杭椒炒饭

原料 大米饭200克，虾皮25克，杭椒、红椒各适量。

调料 葱花10克，精盐1/3小匙，味精、胡椒粉各少许，植物油1大匙。

制作步骤

① 将虾皮洗净，沥干水分；杭椒洗净，切成斜段；红椒洗净，切成椒圈。

② 炒锅上火，加入底油烧热，先放入葱花炒出香味，再放入虾皮、杭椒、红椒略炒一下。

③ 然后放入大米饭、精盐、味精、胡椒粉，拌炒均匀，即可出锅装碗。

熟炒
鲜香微辣

蒸扣
咸鲜微酸

熟炒
香辣软嫩

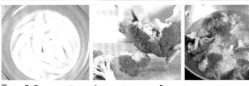

泡椒鸡丁炒饭

原料 大米饭200克，鸡腿肉100克，鸡蛋1个，泡椒、青椒各适量。

调料 葱花15克，精盐、味精、白糖各少许，酱油、料酒各1大匙，水淀粉适量，植物油2大匙。

制作步骤

① 鸡肉洗净，切丁，加入精盐、味精、料酒、蛋清、水淀粉拌匀；泡椒、青椒均去蒂、洗净，切片。

② 坐锅点火，加油烧温，下入鸡腿肉滑散、滑透，捞出沥油。

③ 锅中留底油烧热，下入葱花爆香，再放入泡椒、鸡丁、精盐、味精、白糖、酱油、料酒略炒，然后加入大米饭、青椒片拌炒均匀，即可出锅装碗。

茄汁鱼柳饭

原料 大米饭200克，银鳕鱼250克，西蓝花3朵，青豆适量，洋葱末少许。

调料 精盐、味精、料酒、胡椒粉、鸡蛋液各少许，番茄酱3大匙，香油1小匙，白糖、植物油各2大匙。

制作步骤

① 将银鳕鱼洗涤整理干净，切成大片，加入少许精盐、味精、料酒、胡椒粉、蛋液腌制15分钟；西蓝花洗净，放入沸水中焯烫一下，捞出沥干。

② 锅中加油烧热，放入银鳕鱼煎至两面金黄色、熟透，再下入洋葱末爆香，然后加入白糖、番茄酱，添汤烧至入味，再下入青豆，淋入香油，出锅盛在大米饭上，另用"清炒西蓝花"点缀即可。

山菜蘑菇炒饭

原料 大米饭150克,山野菜、小冬菇各25克。

调料 葱花、葱末、姜末各少许,精盐、味精、胡椒粉各适量,酱油、料酒各1/2大匙,植物油1大匙。

制作步骤

❶ 将山野菜择洗干净,切成小段,下入沸水中焯烫一下;小冬菇用温水泡发回软,洗净,加入葱末、姜末、料酒,上屉蒸透。

❷ 坐锅点火,加油烧热,先下入葱花炒出香味。

❸ 再放入大米饭、山野菜、冬菇略炒一下,然后加入酱油、料酒、精盐、味精、胡椒粉拌炒均匀,出锅装盘即可。

咖喱炒饭

原料 大米饭100克,飞蟹1只,洋葱末少许。

调料 蒜末少许,精盐、味精、白糖、胡椒粉各适量,咖喱酱1/2大匙,牛油1大匙。

制作步骤

❶ 将飞蟹用清水冲洗干净,放入锅中蒸熟,开壳取肉,留壳备用。

❷ 锅中加入牛油烧热,先放入洋葱末、蒜末炒香,再加入咖喱酱、精盐、味精、白糖、胡椒粉及蟹肉翻炒均匀。

❸ 然后放入大米饭拌匀,盛入蟹壳中,入锅蒸约10分钟,即可上桌食用。

气锅鸡翅饭

原料 大米250克,鸡翅膀2只。

调料 香葱15克,酱油、味精、料酒、白糖、蚝油各少许,植物油1大匙。

制作步骤

❶ 将鸡翅洗涤整理干净,加入酱油、料酒、白糖、味精、蚝油腌渍20分钟;香葱洗净,切成葱花。

❷ 将大米淘洗干净,放入清水中浸泡3小时,捞出,再放入气锅中,加入适量清水,上屉蒸30分钟,取出。

❸ 放入鸡翅,再上屉蒸30分钟,出锅,撒上葱花,然后将植物油烧热,浇在葱花和鸡翅上即可。

锅蒸
香甜软嫩

果脯地瓜饭

原料 大米250克，黄瓤地瓜100克，什锦果脯150克。

调料 白糖适量。

制作步骤

❶ 将大米淘洗干净，放入清水中浸泡3小时，沥干水分，装入电饭锅内，再加入250克清水。

❷ 将地瓜洗净、去皮，切成滚刀块，与什锦果脯一起放入锅中，再加入白糖，盖上锅盖，按下电饭锅开关，焖熟即可。

砂锅猪手饭

原料 大米200克，猪手1只，梅干菜50克。

调料 葱段、姜片、精盐、味精各少许，桂皮1片，八角1粒，酱油3大匙，料酒2大匙，白糖1/2大匙，香油、水淀粉各适量，蚝油、植物油各1大匙。

制作步骤

❶ 将猪手洗涤整理干净，用明火烤至皮起细泡，放入热水中刮洗干净，再放入碗中，加入葱、姜、料酒、清水，上屉蒸至熟烂，取出，改刀脱骨；梅干菜择洗干净，泡至回软，切成段。

❷ 将大米淘洗干净，放入砂锅中，加入适量清水烧沸，再转用微火焖制30分钟，撒上葱花。

❸ 锅中加油烧热，放入葱段、姜片、桂皮、八角炒香，再下入蚝油、梅干菜煸炒一下，加入其他调味料和蒸猪手原汤，见汤沸，下入猪手烧至入味。

❹ 然后拣出梅干菜，放在米饭上，锅中原汤用水淀粉勾芡，淋入香油，出锅装在砂锅饭上即可。

蒸扣
软嫩咸鲜

辣白菜炒饭

原料 大米饭200克，熟五花肉150克，辣白菜100克。

调料 葱末、姜末各5克，精盐、味精、白糖各少许，酱油、料酒各1/2大匙，植物油1大匙。

制作步骤

① 将熟五花肉切成薄片；辣白菜切成小段。

② 炒锅上火烧热，加入底油，先放入葱末、姜末炒香，再下入五花肉、辣白菜煸炒片刻。

③ 然后加入酱油、料酒、精盐、味精、白糖、大米饭拌炒均匀，即可出锅装碗。

香菇蛋炒饭

原料 大米饭200克，香菇丁50克，胡萝卜丁、生菜丝各适量，鸡蛋1个。

调料 葱花10克，精盐1/3小匙，味精少许，植物油1大匙。

制作步骤

① 将鸡蛋打入碗中，搅成蛋液；香菇丁和胡萝卜丁分别下入沸水中焯透，捞出沥干。

② 锅中留底油烧热，放入鸡蛋液炒至定浆，再下入葱花炒香。

③ 然后加入香菇丁、胡萝卜丁、大米饭拌炒均匀，再放入精盐、味精、生菜丝翻炒至入味，即可装盘上桌。

银鱼蛋炒饭

原料 大米饭200克，小银鱼50克，鸡蛋1个，芸豆适量。

调料 香葱少许，精盐1/3小匙，味精、胡椒粉各少许，植物油1大匙。

制作步骤

① 将小银鱼洗净，下入沸水中烫透，捞出沥水；鸡蛋磕入碗中，搅散成蛋液；芸豆洗净，切成小片，下入沸水中焯烫一下；香葱洗净，切成段。

② 锅中留底油烧热，放入蛋液炒至定浆，再下入香葱段、大米饭翻炒片刻。

③ 然后加入小银鱼、芸豆片和精盐、味精、胡椒粉炒拌均匀，即可出锅装碗。

香菇菜心炒饭

原料 大米饭200克,香菇75克,菜心25克,鸡蛋1个。

调料 葱末、姜末各少许,精盐1小匙,味精、胡椒粉各少许,植物油2小匙。

制作步骤

① 香菇洗净,切成小块,放入沸水中略焯,捞出;菜心洗净,切成粒;鸡蛋打入碗中,搅散成蛋液。

② 锅置火上,加入植物油烧热,放入鸡蛋液炒至定浆,再加入葱末、姜末爆香。

③ 下入香菇、大米饭翻炒片刻,加入精盐、味精、胡椒粉、菜心粒炒拌均匀,出锅装碗即可。

烘烤
清香软嫩

锅蒸
咸鲜香滑

鲜香水果饭

原料 大米饭150克,菠萝1/2个,腊肠1/3根,虾仁25克,肉松、葡萄干、洋葱丁各适量。

调料 奶油1大匙,精盐1小匙,白糖2小匙。

制作步骤

① 菠萝挖出菠萝果肉,除去硬芯,切成小丁。

② 腊肠上屉蒸透,取出晾凉,切成小丁;虾仁挑除沙线,洗净,放沸水锅内焯透,捞出沥水。

③ 锅置火上,下入奶油烧化,下入洋葱丁、腊肠丁爆香,再加入虾仁、米饭、菠萝丁炒匀。

④ 出锅加入葡萄干、精盐、白糖拌匀,盛入"菠萝壳"中,并以锡箔纸包好,放入烤箱内烘烤15分钟,取出,撕去锡箔纸,撒上肉松即可。

飞蟹蒸饭

原料 大米饭100克,飞蟹1只,洋葱末少许。

调料 牛油2小匙,咖喱酱、精盐、味精、白糖各1小匙,蒜蓉、胡椒粉各少许。

制作步骤

① 飞蟹刷洗干净,放入蒸锅蒸熟,取出晾凉,取蟹肉,留壳备用。

② 锅置火上,下入牛油烧至熔化,放入洋葱末、蒜蓉爆香,再加入飞蟹肉翻炒均匀出锅。

③ 加入咖喱酱、精盐、味精、白糖、胡椒粉和大米饭拌匀,盛入蟹壳中,入锅蒸10分钟即可。

锅蒸
奶香软糯

奶香糯米饭

原料 糯米200克，大枣6粒，枸杞子少许。

调料 白糖1大匙，炼乳1小匙，猪油1/2大匙，牛奶250克。

制作步骤

① 将大枣泡软、去核；枸杞子用温水泡发回软；糯米淘洗干净，浸泡6小时。

② 取一个盆，里面抹上猪油，放入大枣、枸杞子和泡好的糯米。

③ 再加入牛奶、白糖、炼乳、猪油拌匀，上屉蒸约1小时，取出后扣入盘中即可。

熟炒
鲜咸味浓

龙凤炒饭

原料 大米饭500克，鸡蛋2个，熟虾仁、熟鸡肉丝100克，葡萄干25克。

调料 精盐1小匙，葱油2大匙，味精1/2小匙，料酒1大匙。

制作步骤

① 锅置火上，放入葱油烧热，加入鸡蛋液炒至刚熟，放入熟虾仁、熟鸡肉丝炒匀。

② 再加入大米饭、精盐、味精、料酒炒透，撒上葡萄干炒匀，出锅装盘即可。

茄香羊肉蛋炒饭

原料 米饭1碗，羊肉片300克，西红柿、青椒、洋葱各半个，鸡蛋1个，蒜苗段15克。

调料 蒜末5克，精盐、胡椒粉、白糖、鸡精各1小匙，植物油适量。

制作步骤

① 西红柿、青椒、洋葱均洗净，切成菱形块；羊肉片入油锅过油，捞出；鸡蛋入锅炒熟，捞出。

② 锅置火上烧热，放入蒜苗段、洋葱、蒜末炒香，再加入青椒、羊肉片和炒蛋炒匀。

③ 加入米饭炒匀，放入精盐、胡椒粉、鸡精，最后加入西红柿炒匀，出锅即可。

熟炒 咸酸香甜

猪肉蟹柳炒饭

原料 大米饭150克，猪瘦肉100克，鸡蛋1个，叉烧肉、水发木耳、蟹柳、芥蓝各适量。

调料 葱末、姜末、精盐、味精各少许，白糖1小匙，料酒、酱油2小匙，植物油1大匙。

制作步骤

① 将猪瘦肉切成丝，加入精盐和料酒拌匀，放入油锅内煸炒至熟；鸡蛋摊成鸡蛋皮，取出切成蛋皮丝；叉烧肉、水发木耳、蟹柳切丝；芥蓝切成片。

② 锅置火上，加油烧热，下入葱末、姜末炝锅，倒入猪肉丝、大米饭等原料炒匀，再放入精盐、酱油、白糖和味精炒拌均匀，出锅装碗即可。

猪肉豆干炒饭

原料 大米饭200克，猪肉末100克，豆腐干50克，香葱适量。

调料 白糖1/2小匙，味精少许，精盐1小匙，料酒、植物油各1大匙。

制作步骤

① 豆腐干切成小丁，放入沸水锅内焯透，捞出沥干；香葱洗净，切成葱花。

② 锅置火上，加油烧至六成热，放入猪肉末煸炒至变色，烹入料酒，下入豆腐干炒匀。

③ 再加入大米饭、精盐、白糖、味精翻炒均匀入味，撒上香葱花，出锅装入碗内，上桌即可。

熟炒 鲜咸味浓

熟炒 鲜咸香浓

板栗油鸡饭

原料 大米、小米各100克，鸡肉200克，杏仁、板栗、胡萝卜各50克。

调料 葱末、姜末各15克，精盐、酱油、高汤精各1小匙，胡椒粉、蚝油各1/2小匙，植物油2大匙。

制作步骤

① 板栗去皮、洗净；胡萝卜洗净，切成小粒；大米、小米淘洗干净，蒸成米饭，加入杏仁拌匀。

② 鸡肉切成丁，加入少许酱油、蚝油、精盐、胡椒粉拌匀，腌渍片刻。

③ 锅置火上，加入植物油烧热，放入鸡肉丁和胡萝卜粒炒散，加入精盐、葱末、姜末、米饭和板栗翻炒，出锅倒入电饭煲中，再煲5分钟即可。

美味酱油炒饭

原料 大米饭250克，叉烧肉100克，鸡蛋2个。

调料 葱花15克，料酒、精盐各1小匙，味精、胡椒粉各少许，酱油、植物油各1大匙。

制作步骤

① 叉烧肉改刀切成小片；鸡蛋磕入碗内，加入少许精盐拌匀。

② 净锅置火上，加入植物油烧至六成热，加入葱花炒香，再烹入料酒，加入叉烧肉、酱油、白糖、味精、胡椒粉翻炒均匀。

③ 然后下入大米饭炒匀入味，淋入鸡蛋液翻拌至定浆，再用旺火翻炒片刻，即可出锅装碗。

萝卜干黄金蛋炒饭

原料 大米饭1碗，豆皮25克，水发海米15克，鸡蛋1个，熟火腿2片，萝卜干25克。

调料 葱末10克，精盐1小匙，白糖2小匙，鸡精少许，植物油2大匙。

制作步骤

① 萝卜干、熟火腿、豆皮均洗净，改刀切成小丁；水发海米洗净，剁碎；鸡蛋打入碗中打散，放入大米饭拌匀成黄金饭。

② 锅中倒入植物油烧热，放入黄金饭炒成橙黄色，再加入火腿、海米、豆皮和萝卜干炒出香味，然后加入葱花、精盐、白糖和鸡精炒匀即可。

香葱野菜炒饭

原料 大米饭250克，山野菜100克，小冬菇25克，香葱段少许。

调料 酱油、料酒各1小匙，精盐、味精、胡椒粉各少许，植物油2小匙。

制作步骤

❶ 将山野菜洗净，切成段，用沸水略焯，捞出。

❷ 小冬菇用温水泡发回软，洗净，加上料酒，上屉旺火蒸透，取出晾凉，切成小块。

❸ 锅置火上，加油烧热，放入香葱段炒出香味，下入大米饭、山野菜和冬菇炒匀。

❹ 再加入酱油、料酒、精盐、味精、胡椒粉调好口味，出锅装盘即可。

虾蔬焖果饭

原料 大米100克，虾仁150克，洋葱50克，玉米粒50克，青豆5克，胡萝卜、净菠萝各50克。

调料 精盐、鸡精、酱油、胡椒粉各1/2小匙，植物油2大匙。

制作步骤

❶ 将虾仁洗净，除去沙线；洋葱、胡萝卜、菠萝洗净，切成粒；大米洗净，放入电饭锅中焖熟。

❷ 锅中加油烧至六成热，放入胡萝卜、洋葱粒煸香，放入虾仁炒熟，加入精盐、酱油调匀。

❸ 放入青豆、玉米粒、鸡精、胡椒粉煸炒片刻，出锅倒入盛有米饭的锅内，再放入菠萝焖5分钟，即可盛出食用。

百合芦笋肚菌饭

原料 香米饭1碗，净猪肚菌150克，芦笋2根，净百合20克，青椒块、红椒块各少许。

调料 精盐、酱油各1小匙，高汤120克，胡椒粉少许，水淀粉、植物油各适量。

制作步骤

❶ 猪肚菌切成丁；芦笋洗净，切成小段。

❷ 锅中加油烧热，下入猪肚菌、百合、青椒块、红椒块翻炒片刻。

❸ 再加入精盐、酱油、胡椒粉、高汤烧沸，水淀粉勾芡，出锅淋在香米饭上即可。

黑芝麻盖饭

蒸扣 软糯甜香

原料 糯米150克，黑芝麻100克，核桃仁75克，各式蜜饯少许。

调料 白糖适量，植物油4大匙。

制作步骤

① 糯米淘洗干净，放入清水中浸泡，再放入蒸锅内，用旺火沸水蒸约30分钟至熟，取出。

② 芝麻和核桃仁分别放入净锅内炒至熟香，取出捣碎成小颗粒状；各式蜜饯切成小粒。

③ 锅中加油烧热，倒入熟糯米饭略炒，加入白糖、芝麻、核桃仁及蜜饯一同炒拌均匀，出锅盛入碗内，再反扣入盘中，即可上桌食用。

香辣肉炒饭

熟炒 咸鲜微辣

原料 大米饭200克，熟五花肉150克，辣白菜100克。

调料 葱末、姜末、精盐、味精、白糖各少许，植物油2小匙，酱油、料酒各1小匙，。

制作步骤

① 熟五花肉改刀切成大薄片；辣白菜去根、洗净，切成小段。

② 炒锅上火，下入植物油烧热，放入葱末、姜末炒出香味，再下入五花肉、辣白菜段煸炒片刻。

③ 加入酱油、料酒、精盐、味精、白糖、大米饭拌炒均匀，出锅装碗即可。

原盅滑鸡饭

锅蒸 咸鲜清香

原料 大米饭300克，鸡胸肉250克，香菇2朵。

调料 姜片5克，大葱15克，蚝油、胡椒粉、香油各1/2小匙，精盐1小匙。

制作步骤

① 鸡胸肉洗净，改刀切成小块；香菇泡软，去蒂，切斜刀块；大葱洗净，切成3厘米长的小段。

② 将鸡肉块放入碗中，加入香菇块、姜片、葱段、蚝油、精盐、胡椒粉和香油拌匀，放入蒸锅中，用旺火蒸8分钟。

③ 取出鸡块，倒入砂锅内，加入大米饭拌匀，再用小火焖10分钟即可。

蔬菜包饭

原料 大米饭250克，净生菜150克，猪肉丝100克，鸡蛋皮丝25克，香葱粒少许。

调料 精盐、植物油各1小匙，酱油1大匙，料酒2小匙，味精、胡椒粉各少许。

制作步骤

① 生菜洗净，放沸水锅内烫透，捞出沥水。

② 锅中加入植物油烧至六成热，下入猪肉丝炒至变色。

③ 再加入酱油、料酒、精盐、味精、胡椒粉和大米饭炒拌均匀，然后撒上蛋皮丝和香葱粒，用生菜包裹即可。

时蔬鸡蛋炒饭

原料 白米饭200克，香菇丁50克，胡萝卜、生菜丝各适量，鸡蛋1个。

调料 植物油1大匙，葱花2小匙，味精1小匙，精盐1/2小匙。

制作步骤

① 将鸡蛋磕入碗中，搅成蛋液。

② 将香菇丁和胡萝卜丁分别下入沸水中焯透，捞出沥干。

③ 炒锅上火，加入底油烧至六成热，先放入鸡蛋液炒至定浆

④ 再下入葱花炒香，然后加入香菇、胡萝卜、白米饭炒匀，再放入精盐、味精、生菜丝炒至入味，即可装盘上桌。

美味香辣饭

熟炒
鲜咸微辣

原 料 大米饭200克，鸡腿肉100克，红泡椒、青椒、鸡蛋清各适量。

调 料 葱花、精盐、味精、白糖各少许，酱油、料酒、淀粉各2小匙，植物油适量。

制作步骤

① 鸡腿肉洗净，切成丁，加入精盐、味精、料酒、鸡蛋清、淀粉拌匀，放入热油锅中滑散、滑透，倒入漏勺沥油；泡椒、青椒分别洗净，切成菱形片。

② 锅中加油烧热，先下入葱花爆香，再放入泡椒、鸡丁、酱油、料酒、精盐、味精、白糖煸炒片刻。

③ 然后放入大米饭、青椒块炒拌均匀即可。

西蓝花鱼肉饭

熟炒
软嫩鲜咸

原 料 大米饭200克，草鱼肉250克，西蓝花3朵，青豆适量，洋葱末少许，鸡蛋1个。

调 料 精盐、味精、料酒、胡椒粉、番茄酱、白糖、香油、植物油、淀粉、清汤各适量。

制作步骤

① 草鱼肉洗净，切片，加入鸡蛋、精盐、料酒、淀粉腌渍15分钟；西蓝花洗净，用沸水略焯，捞出。

② 锅中加油烧热，放入鱼片，用中火将两面煎成金黄色，再下入洋葱末爆香。

③ 加入番茄酱、白糖、清汤、精盐、料酒、味精、胡椒粉和清汤烧至入味，下入青豆，淋入香油，出锅盛在大米饭上，摆上西蓝花点缀即可。

素荤焖饭

原 料 大米饭500克，青笋、萝卜、大白菜、红烧肉100克，水发香菇、水发木耳各少许。

调 料 葱花、姜末、肉汤、精盐、酱油、味精、胡椒粉、植物油各适量。

制作步骤

① 青笋、萝卜、大白菜洗净，改刀切成丁；水发香菇、水发木耳洗净，切成小块。

② 净锅置火上，加入植物油烧热，下入葱花、姜末炝锅，放入红烧肉、香菇和木耳炒匀。

③ 再放入肉汤、精盐、酱油、味精和胡椒粉烧沸，倒入大米饭和蔬菜焖5分钟，出锅即可。

烧焖
咸鲜清香

胡萝卜蛋炒饭

原料 米饭250克，胡萝卜50克，鸡蛋1个，豌豆仁15克。

调料 大蒜2瓣，精盐1/2小匙，白胡椒粉少许。

制作步骤

1 将胡萝卜洗净、去皮，切成丁；豌豆仁洗净，与胡萝卜丁一起放入沸水中焯烫一下，捞出沥干。

2 将鸡蛋磕入碗中，加少许精盐打匀，再下入热油锅中炒成碎块，盛出待用。

3 将大蒜去皮、拍碎，先下入热油锅中爆香，再加入胡萝卜丁、豌豆仁炒香，然后加入米饭、蛋块和精盐、白胡椒粉炒匀，即可上桌食用。

板栗鲜贝饭

原料 大米饭150克，熟栗子75克，鲜贝50克，芥蓝、胡萝卜各适量。

调料 葱花10克，精盐1/2小匙，味精、白糖各少许，水淀粉适量，植物油1大匙。

制作步骤

1 将板栗去皮、洗净；鲜贝洗净，用蛋清、精盐、味精、水淀粉拌匀，腌至入味；芥蓝、胡萝卜均洗净、切片，下入沸水中烫透，捞出沥干。

2 锅加油烧热，下入板栗、鲜贝滑透，捞出沥油。

3 锅中留底油烧热，下入葱花炒香，再下入白米饭、板栗、鲜贝、芥蓝片、胡萝卜片，然后加入精盐、味精、白糖拌炒均匀，即可出锅装碗。

三椒牛肉饭

原料 糙米饭250克，牛柳100克，三色彩椒各1个，鸡蛋1个，洋葱丁、香菇丁各15克。

调料 奶油、精盐各1小匙，酱油1大匙，料酒2小匙，淀粉、胡椒粉、白糖各少许，植物油适量。

制作步骤

1 将牛柳切成小粒，加入少许鸡蛋液、精盐、料酒和淀粉拌匀，用热油滑散，捞出。

2 三色彩椒洗净，放入油锅内炸至外皮涨起，捞出泡入冰水中，撕除外皮，每个横剖两半。

3 锅中加油烧热，倒入鸡蛋液炒散，盛出。

4 锅加入奶油烧，洋葱、香菇、牛肉、鸡蛋、糙米饭和调料炒匀，盛入椒盅，入蒸锅蒸透即成。

熟炒
咸鲜适口

叉烧什锦炒饭

原料 白米饭150克，瘦猪肉100克，鸡蛋1个，叉烧肉、水发木耳、蟹柳、芥兰各适量。

调料 葱末、姜末、精盐、味精各少许，料酒、酱油各1小匙，白糖1/2小匙，植物油2大匙。

制作步骤

① 将猪肉洗净、切成丝，加入植物油、料酒、酱油、白糖煸炒至熟；鸡蛋摊成蛋皮后切丝；叉烧肉、木耳、蟹柳切丝；芥兰切片，焯水备用。

② 锅中加底油烧热，先下入肉丝、蛋皮、叉烧肉、木耳、蟹柳、芥兰、葱末、姜末炒香，再加入白米饭、精盐、味精炒匀，即可出锅装碗。

素鸡毛豆炒饭

原料 大米饭250克，素鸡50克，鸡蛋1个，毛豆25克。

调料 葱花、精盐、味精、白糖各少许，植物油1大匙，蚝油2小匙。

制作步骤

① 素鸡切成小丁；毛豆去皮，放入沸水锅里煮透，捞出沥水；鸡蛋打入碗中搅成鸡蛋液。

② 锅中加油烧热，放入鸡蛋液炒至定浆，再下入葱花爆香，然后放入素鸡丁煸炒片刻。

③ 再下入蚝油、大米饭、毛豆、精盐、味精、白糖拌炒均匀，离火出锅，装入竹船内，上桌即可。

熟炒
清香鲜咸

排骨包饭

原料 大米150克，小排骨200克，荷叶1张，香菜段少许。

调料 酱油1大匙，白糖、料酒、味精、胡椒粉、香葱、五香粉各少许，香油2小匙。

制作步骤

① 炒锅上火烧热，放入大米炒至膨松，出锅。

② 排骨洗净，加入大米、酱油、白糖、料酒、味精、胡椒粉、五香粉拌匀，腌30分钟。

③ 荷叶烫软，洗净，铺入蒸笼内，放入腌好的排骨和米饭，用旺火蒸40分钟，撒上香菜段即可。

锅蒸 浓香咸鲜

蔬菜牛腩烩饭

原料 大米饭250克，熟牛腩200克，西红柿1个，青豆、口蘑、甜蜜豆各适量，洋葱末少许。

调料 精盐、酱油、香油各1小匙，味精、冰糖各少许，番茄酱2小匙，料酒、植物油各1大匙。

制作步骤

① 熟牛腩肉切成丁；西红柿洗净，切成块；青豆、口蘑、甜蜜豆放沸水锅内焯透，捞出备用。

② 锅中加油烧热，先下入洋葱末炝锅，再下入牛腩、西红柿、口蘑、甜蜜豆和青豆炒匀。

③ 然后加入调料炒至均匀入味，淋入香油，出锅放在盛有米饭的盘内即可。

蜜汁八宝饭

原料 糯米200克，大枣、葡萄干、山楂条、什锦果脯各适量。

调料 蜂蜜、白糖各2大匙，熟猪油1大匙。

制作步骤

① 将糯米淘洗干净，放入清水中浸泡，再放入蒸锅内蒸45分钟，取出；大枣、葡萄干洗净。

② 取不锈钢小盆一个，内侧抹上一层熟猪油，摆上果脯，将糯米饭、大枣、葡萄干、山楂条、白糖和蜂蜜拌匀，一起放入小盆内并压实。

③ 把小盆放入蒸锅内，用旺火蒸30分钟，取出翻扣在盘内，上桌即可。

锅蒸 香甜味浓

烧烩 鲜咸浓香

熟炒
鲜咸味浓

飘香八珍饭

原料 大米饭250克，玉米粒25克，土豆、水发香菇、蜜豆、胡萝卜、午餐肉各适量。

调料 葱花15克，精盐、胡椒粉、橄榄油、酱油、白糖、高汤各适量。

制作步骤

❶ 将土豆、水发香菇、胡萝卜、午餐肉、蜜豆分别洗净，改刀切成小丁，焯水后捞出。

❷ 锅置火上，加入橄榄油烧至六成热，放入葱花炝锅，加入午餐肉、胡萝卜、玉米、蜜豆炒匀。

❸ 加入精盐、酱油、白糖、胡椒粉和高汤烧沸，再放入土豆、香菇翻炒均匀，出锅倒在盛有大米饭的碗上，上屉蒸10分钟，出锅即可。

腊肉土豆饭

原料 大米100克，腊肉100克，土豆50克，香葱、萝卜干各25克，小西红柿适量。

调料 精盐1小匙，植物油1大匙。

制作步骤

❶ 将土豆去皮，切成小丁；腊肉切成小片；大米淘洗干净，放入锅中，加入清水煮成大米饭。

❷ 锅置火上烧热，下入腊肉片煸炒，再放入萝卜干、土豆和小西红柿炒匀。

❸ 然后加入精盐、清水煮沸，倒入大米饭，加盖用中火焖熟，撒上葱花即可。

蒸扣
鲜咸浓香

蘑菇焖饭

原料 大米饭250克，瘦牛肉100克，新鲜蘑菇150克，熟芝麻30克。

调料 葱末、黑胡椒粉各少许，精盐、酱油、香油各1小匙，植物油1大匙。

制作步骤

❶ 瘦牛肉洗净切丝；蘑菇洗净去根，切成丝。

❷ 锅中加油烧热，下入葱末、牛肉丝、蘑菇丝略炒，加入大米饭炒匀。

❸ 再放入精盐、酱油、黑胡椒粉、熟芝麻炒至入味，出锅装碗即成。

熟炒
咸鲜清香

提子花生饭

原料 提子干、花生仁各25克，大米150克。

调料 白糖适量。

制作步骤

1. 提子干、花生仁分别用清水泡至回软，洗净；大米淘洗干净，放入清水中浸泡3小时。
2. 将上述原料沥净水分，装入电饭锅内，加入白糖及适量清水，盖严锅盖，按下开关，焖30分钟。
3. 待开关跳起，焖约5分钟，再次按下开关，见又一次开关跳起，出锅装碗即可。

锅蒸
香甜软嫩

锅蒸
香甜软糯

熟炒
软嫩鲜香

蛋卷糯米饭

原料 糯米饭150克，鸡蛋4个，油条1根，萝卜干、雪里蕻、肉松各适量。

调料 味精、胡椒粉各少许，白糖、香油各1/2小匙，水淀粉、沙拉酱、植物油各适量。

制作步骤

1. 将鸡蛋打入碗中，加入水淀粉搅散成蛋液，再放入热油锅中摊成蛋皮。
2. 将油条过油炸酥，捞出沥油；萝卜干泡软、洗净；雪里蕻洗净，切成小段。
3. 锅中加油烧热，下入萝卜爆香，再下入白糖、香油、味精、胡椒粉和雪里蕻段炒匀，制成馅料。
4. 取一张蛋皮，铺入糯米饭，再放上油条、馅料、肉松，包卷成圆筒状，然后用沙拉酱封口即成。

八宝果饭

原料 糯米600克，红枣、熟莲子各60克，青豆、桂圆、橘饼、冬瓜糖各30克，蜜饯红瓜、葡萄干各20克。

调料 玫瑰糖、白糖、水淀粉、熟猪油各适量。

制作步骤

1. 将糯米淘洗干净，下入沸水中焯烫一下，捞入瓦钵中，上笼蒸熟，取出，加入白糖、熟猪油、玫瑰糖拌匀；橘饼去核，与冬瓜糖、红瓜分别切成小丁；桂圆肉、葡萄干用温水浸泡，捞出沥干。
2. 取瓦钵，抹熟猪油，粘上红枣，再放入桂圆肉、橘饼、冬瓜糖、葡萄干、熟莲子，然后放入拌好的糯米饭，入笼蒸50分钟，取出，翻扣入大盘中。
3. 锅中加油烧热，加入白糖、清水烧开，用水淀粉勾芡，放入青豆、红瓜拌匀，浇在果饭上即成。

腌肉芥蓝炒饭

原料 米饭250克，腌肉1条，芥蓝3棵，西蓝花少许，番茄1个，火腿2片，洋葱1/4个，鸡蛋1个。

调料 精盐、黑胡椒粉各1小匙，白糖2小匙。

制作步骤

① 将腌肉、火腿分别切丝；洋葱去皮、切丝；番茄洗净、切丝；西蓝花洗净，切成小块，再放入沸水中焯烫一下；芥兰洗净，下入沸水中焯透，捞出沥干，放入盘中摊平。

② 将鸡蛋磕入碗中打散，下入热油锅中炒至半凝固状，再加入洋葱丝炒香，然后加入腌肉、火腿、番茄、西蓝花略炒，再加入米饭、精盐、黑胡椒粉、白糖炒匀，最后盛入装有芥蓝的盘中即可。

豌豆焖饭

原料 大米饭600克，鲜豌豆300克，火腿100克。

调料 精盐、味精、胡椒粉、肉汤各适量，熟猪油3大匙。

制作步骤

① 将豌豆去壳、取豆，用清水洗净；火腿刷洗干净，切成小丁。

② 坐锅点火，加入熟猪油烧热，先下入火腿丁炒香，再倒入豌豆煸炒片刻。

③ 然后放入米饭，倒入肉汤，加盖焖至水分将干，再加入精盐、味精、胡椒粉拌炒至入味，即可出锅装盘。

奶香大枣饭

原料 糯米200克，大枣6粒，枸杞子少许。

调料 白糖1大匙，炼乳1小匙，鲜牛奶1杯，熟猪油1/2大匙。

制作步骤

① 大枣用温水泡软，取出去核；枸杞子用温水泡发到回软；糯米用清水淘洗干净，再放入清水中浸泡6小时。

② 不锈钢盆内抹上熟猪油，放入大枣、枸杞子和泡好的糯米，再加入鲜牛奶、白糖、炼乳、熟猪油，上屉蒸约1小时，取出后扣入盘中，即可上桌食用。

锅蒸
香浓微甜

鲜奶麦片饭

原料 大米100克，麦片75克，鲜牛奶250克。

调料 白糖适量。

制作步骤

①将大米用清水淘洗干净，再放入清水中浸泡30分钟，捞出沥水。

②将泡好的大米放入不锈钢锅中，加入麦片和适量清水，置于旺火上烧沸。

③撇净表面浮沫，加盖，改小火慢煮30分钟至大米近熟。

④加入鲜牛奶，继续用小火煮15分钟，离火后加入白糖调匀，用余热再焖10分钟，出锅即可。

②锅中加底油烧热，先放入鸡蛋液炒至定浆，再下入虾仁、豆豉、姜末、火腿丁煸炒片刻。

③然后加入白米饭、青椒粒、红辣椒粒、青豆、精盐、味精、胡椒粉拌炒均匀，出锅装碗即可。

豆豉虾球炒饭

原料 白米饭200克，虾仁100克，火腿丁50克，鸡蛋1个，青椒粒、红辣椒粒各15克，青豆适量。

调料 姜末5克，豆豉1/2大匙，精盐1/3小匙，味精、胡椒粉各少许，植物油2大匙。

制作步骤

①将虾仁挑除沙线，用清水洗净；鸡蛋打入碗中，搅成蛋液。

熟炒
咸鲜软嫩

西葫芦火腿饭

熟炒
咸鲜适口

原料 米饭500克，熟火腿150克，西葫芦、鲜豌豆各50克，鸡蛋1个。

调料 葱花15克，精盐、味精各少许，植物油150克。

制作步骤

① 将熟火腿切成粒；西葫芦洗净、剖开，去瓤及子，再切成丁；鸡蛋磕入碗内打散，加入精盐搅匀；鲜豌豆下入沸水锅中焯烫至熟透，捞出。

② 锅中加油烧热，下入葱花炒香，再倒入蛋液炒成碎块，然后加入火腿丁、西葫芦丁、豌豆炒约2分钟，再加入米饭、精盐、味精，用中火炒5分钟至米饭颗粒松散、溢出香味，即可装碗上桌。

梅子莲藕炒饭

熟炒
咸鲜微酸

原料 米饭300克，莲藕20克，梅子8粒，青紫苏6片。

调料 精盐、味精各1/2小匙，胡椒粉少许，酱油、白醋各1小匙，植物油1大匙。

制作步骤

① 将梅子洗净、去核，切成丁；青紫苏切成细条；莲藕洗净，切成小丁。

② 炒锅置火上，加油烧热，先下入莲藕略炒，再加入白醋、酱油、米饭、梅子、紫苏炒匀。

③ 然后加入精盐、味精、胡椒粉调好口味，出锅装盘即可。

蒸扣
咸香嫩滑

虾米鸡丁盖饭

原料 米饭300克，鸡肉丁200克，虾米20克，洋葱末、辣椒末各少许。

调料 蒜末30克，精盐、白糖、虾酱各1小匙，卤汁2大匙，鱼露3大匙，植物油1大匙。

制作步骤

① 将虾米用温水泡软，切成碎末；鸡肉丁放入热油锅中滑透，捞出沥油。

② 锅中加油烧热，先下入蒜末、虾米、辣椒末爆香，再加入鸡丁、洋葱炒香。

③ 然后加入精盐、白糖、虾酱、卤汁、鱼露炒至汤汁收干，出锅浇在米饭上即可。

干椒五花肉饭

原料 米饭300克，猪五花肉200克，胡萝卜条、黄瓜条、红干椒段各适量。

调料 香葱末、葱段、姜片、桂皮、八角各少许，味精、冰糖各1小匙，料酒、酱油、植物油各2大匙。

制作步骤

❶ 将五花肉洗净，切成大块，再下入热油锅中炸至金黄色，捞出沥油。

❷ 锅中加油烧热，下入葱段、姜片炝锅，再放入桂皮、八角、味精、冰糖、料酒、酱油、干椒段、五花肉块炒匀，然后倒入坛中焖45分钟，离火装碗。

❸ 米饭扣入盘中，撒上香葱末，再用胡萝卜条、黄瓜条码边，浇上坛肉汁，跟坛肉一同上桌即可。

海鲜蔬菜炒饭

原料 米饭500克，蟹肉、火腿丁、虾肉各120克，洋葱末100克，青椒、芹菜各75克，鸡蛋1个。

调料 精盐适量，植物油1大匙。

制作步骤

❶ 将芹菜、青椒均洗涤整理干净，再切成丁；虾肉洗净，切成丁，再下入热油锅中炒熟；鸡蛋磕入碗内搅散。

❷ 锅置火上，加油烧至六成热，先下入葱末炒至微黄，再倒入鸡蛋液炒成小块。

❸ 然后加入熟虾丁、蟹肉、火腿丁、芹菜丁、青椒丁炒透，再放入米饭、精盐炒匀即可。

鳕鱼海鲜饭

原料 米饭300克，鳕鱼肉200克，番茄100克，鱼肉片、墨鱼、洋葱、西芹各少许。

调料 精盐、胡椒粉、胡椒粒、面粉、鲜奶油、奶油、白酒、鲜奶、鱼高汤各适量。

制作步骤

❶ 将墨鱼洗净，斜切花纹，再切成片；番茄、洋葱分别洗净，切成小丁；西芹洗净，切成小段。

❷ 锅中加入奶油烧至熔化，再加入面粉炒匀，然后加入鲜奶及鲜奶油煮沸，制成白酱料。

❸ 锅加奶油烧至熔化，爆香洋葱，再放入番茄、鱼肉、墨鱼、西芹段、白酒煮开，然后加入精盐、胡椒粉、白酱料和鱼高汤煮至浓稠，浇在米饭上即成。

香辣五花炒饭

熟炒
香辣软嫩

[原 料] 大米饭200克, 熟五花肉150克, 辣白菜100克。

[调 料] 葱末、姜末各5克, 精盐、味精、白糖各少许, 酱油、料酒各1/2大匙, 植物油1大匙。

制作步骤

① 熟五花肉切成大薄片; 辣白菜去根和老叶, 切成小段。

② 锅置火上, 加入植物油烧热, 放入葱末、姜末炒香, 下入五花肉片、辣白菜段煸炒片刻。

③ 然后加入酱油、料酒、精盐、味精、白糖、大米饭炒拌均匀, 出锅装碗即成。

荷叶鸡肉饭

锅蒸
浓香咸鲜

[原 料] 大米150克, 鸡腿肉100克, 荷叶1张, 口蘑、海米各适量。

[调 料] 酱油1大匙, 香油2小匙, 料酒1小匙, 白糖、精盐、鸡精各少许。

制作步骤

① 鸡腿肉切成粒; 荷叶放入沸水锅中烫软, 取出洗净; 口蘑洗净, 切片; 海米用温水泡软, 洗净。

② 锅中放入淘洗干净的大米炒至米粒熟透, 出锅后与鸡粒、口蘑、海米一同放入碗中, 加入酱油、料酒、白糖、精盐、鸡精、香油拌匀, 腌30分钟。

③ 将腌好的大米放在荷叶上, 包裹好, 放在笼屉内, 用旺火蒸约45分钟至熟香, 取出即可。

鲜香美味饭

原料 米饭200克，猪肉末100克，鸡蛋2个，面包糠50克，大头菜叶数片。

调料 葱末、姜末、花椒粉、精盐、酱油、味精、香油、植物油各适量。

制作步骤

1. 米饭放入打散的鸡蛋、猪肉末、葱末、姜末、花椒粉、精盐、酱油、味精、香油、植物油拌匀。

2. 将大头菜洗净，放入沸水锅内烫至软，捞出后放入冷水中投凉，沥干水分。

3. 烤盘内抹上一层植物油，铺上面包糠，放入拌好的米饭并抹平，在上面盖上烫好的大头菜叶，放入烤箱内烤20分钟，取出装盘即成。

烘烤 咸香甜酸

木瓜奶香饭

原料 大米、紫米、木瓜、奇异果、火龙果、菠萝各适量。

调料 精盐、白糖、水淀粉、牛奶各适量。

制作步骤

1. 将大米、紫米淘洗干净，放在容器内，加入牛奶拌匀，浸泡2个小时，再上锅蒸20分钟，取出。

2. 将奇异果、火龙果、菠萝分别洗净，切成丁；木瓜切开、去籽，放入蒸锅蒸5分钟，取出。

3. 将蒸好的紫米饭装入木瓜内，撒上水果粒。

4. 净锅置火上，放入牛奶烧沸，加入精盐、白糖，用水淀粉勾芡，出锅浇在米饭上即可。

甘笋番茄饭

原料 米饭200克，番茄2个，鸡蛋1个，火腿、甘笋、杂豆各少许。

调料 精盐少许，白糖1小匙，豉油适量。

制作步骤

1. 将番茄1个洗净、切碎，放入碗中，加入少许白糖、精盐拌匀，再放入锅中煮约2分钟成番茄汁；剩余的番茄、甘笋均洗净，与火腿一起切成丁。

2. 锅中加入豉油烧热，下入鸡蛋炒至半熟，再放入米饭炒匀。

3. 然后加入番茄丁、甘笋丁、火腿丁炒1分钟，再加入番茄汁、精盐、白糖炒干即可。

熟炒 咸鲜微酸

蒸扣 咸鲜甜香

锅蒸
咸鲜微辣

笋干肉饭

原料 米饭300克，猪五花肉120克，笋干50克，卤蛋1/2个，小黄瓜2根，干辣椒段少许。

调料 蒜末、八角、精盐、白糖、冰糖、白醋、酱油、料酒、香油、植物油各适量。

制作步骤

① 将五花肉洗净，切成片，放入热锅中略煎一下，再加入八角、酱油、冰糖、料酒煮至熟软，盛出。

② 锅中加油烧热，下入辣椒段、蒜末爆香，再放入笋干略炒，然后加入清水、精盐煮5分钟。

③ 将小黄瓜洗净，用精盐腌约20分钟，再切成块，加入精盐、白糖、白醋、香油拌匀；米饭放入碗中，放上五花肉、笋干、黄瓜、卤蛋即成。

蒸扣
香辣软嫩

麻婆茄子盖饭

原料 米饭300克，茄子150克，绞肉50克，红辣椒末少许。

调料 葱末、姜末、蒜末、花椒粒、白糖、辣豆瓣酱、料酒、酱油、水淀粉、香油、植物油各适量。

制作步骤

① 将米饭放入碗中；茄子去蒂、洗净，切成圆段，再放入热油锅中炸约1分钟，捞出沥油。

② 锅中加油烧热，爆香葱、姜、蒜、辣椒，再放入绞肉、辣豆酱炒香，然后加入料酒、酱油、白糖、清水、茄子煮3分钟，用水淀粉勾芡，倒在米饭上。

③ 锅中加入香油烧热，下入花椒粒爆香，捞出花椒粒，再将热油淋在米饭上即可。

肉末菜饭

原料 米饭300克，猪肉馅100克，鸡蛋1个，豌豆、胡萝卜、卷心菜各少许。

调料 葱末、姜末、精盐、鸡精、胡椒粉、酱油、料酒、植物油各适量。

制作步骤

① 将胡萝卜洗净，切成小丁；卷心菜洗净，切成丝；鸡蛋磕入碗内搅匀。

② 锅中加入猪肉馅和少许清水炒至干酥，再加入酱油、胡椒粉、鸡精、料酒、精盐、胡萝卜丁炒匀。

③ 锅中留底油烧热，下入鸡蛋液炒匀，再加入米饭、豌豆煸炒，然后加入肉酥炒匀，加入葱末、姜末和卷心菜丝即可。

熟炒
鲜香软嫩

姜丝蟹肉饭

[原料] 米饭300克，蟹肉、胡萝卜、青椒各100克，豌豆5克。

[调料] 姜丝15克，精盐、胡椒粉各少许，植物油2大匙。

制作步骤

1. 将胡萝卜和青椒洗净、切丁，下入热油锅内炒匀，再加入米饭、精盐、胡椒粉略炒，出锅装盘。

2. 锅置火上，加油烧热，放入姜丝、蟹肉、精盐、胡椒粉煸炒片刻，再加入炒好的米饭炒匀，出锅装盘。

3. 将豌豆下入沸水锅中焯烫至熟透，再捞出沥干，撒在炒饭上即可。

熟炒 辛香软嫩

熟炒 咸鲜软嫩

蒸扣 咸鲜微酸

醋溜丸子盖饭

[原料] 米饭300克，猪绞肉200克，小白菜180克，鸡蛋清1个。

[调料] 葱末、姜末、白糖、酱油、白醋、精盐、胡椒粉、料酒、香油、淀粉、植物油各适量。

制作步骤

1. 猪绞肉、葱、姜、蛋清、淀粉、精盐、胡椒粉、香油、料酒搅匀，下成丸子，用热油炸熟，捞出沥油。

2. 将米饭放入碗中；小白菜洗净，下入沸水中焯烫至熟，再放入冷水中泡凉，捞出沥干。

3. 锅中加油烧热，下入葱、姜爆香，再加入酱油、白醋、白糖、清水煮沸，然后加入丸子煮3分钟，再加入白菜，用水淀粉勾芡，浇在米饭上即可。

翡翠蛋炒饭

[原料] 米饭200克，西芹80克，小腊肠5根，鸡蛋1个，豌豆、生菜各少许。

[调料] 葱花少许，精盐1/2小匙，生抽2小匙，植物油适量。

制作步骤

1. 将生菜、西芹洗净，生菜切丝、西芹切粒；小腊肠切成粒；鸡蛋磕入碗内搅匀成蛋液。

2. 锅中加入适量油烧热，下入腊肠粒爆香，捞出。

3. 锅置火上，先下入鸡蛋液炒熟，再加入米饭翻炒均匀。

4. 然后加入西芹、豌豆、生菜丝、腊肠粒略炒，再加入葱粒、精盐、生抽炒干即可。

蒸扣
酒香软嫩

红酒鸡肉盖饭

原料 米饭300克，鸡腿肉、熏肉、番茄、洋葱、水发香菇、甜椒、胡萝卜各适量，巴西里末少许。

调料 蒜片少许，精盐、胡椒粉各1/2小匙，意大利综合香料1小匙，红酒500克，植物油1大匙。

制作步骤

1. 鸡腿、洋葱、甜椒、胡萝卜、番茄均洗净，切丁；熏肉切成丁；香菇洗净，切成两半；米饭放入碗中。

2. 锅中加油烧热，下入蒜片、洋葱丁、意大利综合香料爆香，再放入鸡肉、熏肉略炒。

3. 然后加入红酒、甜椒、胡萝卜、番茄、香菇、精盐、胡椒粉，用小火煮至汤汁微干，趁热倒入米饭碗中，最后撒上巴西里末即可。

蒸扣
咸鲜软嫩

红薯鸡腿饭

原料 米饭400克，鸡腿肉、红薯各150克，胡萝卜丁100克，泡萝卜丁40克，四季豆30克。

调料 精盐、胡椒粉、酱油、料酒各适量，高汤100毫升。

制作步骤

1. 将鸡肉洗净，切成丁；红薯去皮，洗净，也切成丁，再下入热油锅中炸透。

2. 锅置火上，加油烧热，下入鸡肉丁、胡萝卜、泡萝卜、四季豆爆炒至鸡丁变色，再放入红薯炒匀，出锅装盘。

3. 锅中加入高汤和炒好的丁料烧开，再加入酱油、精盐、料酒、胡椒粉炒匀，浇在米饭上即可。

锅蒸
鲜香软嫩

蒸鸡四喜饭

原料 米饭500克，净鸡肉250克，净胡萝卜丁、净冬笋、莲藕片、鸡蛋各100克，水发香菇丁25克。

调料 腌红姜片25克，味精1小匙，酱油、白糖各100克，精盐、植物油各适量。

制作步骤

1. 将胡萝卜、冬笋、鸡肉均切成丁；鸡蛋搅散，下入热油锅中摊成蛋皮，再切成丝。

2. 锅中加清水，下入香菇丁煮软，再加入胡萝卜、冬笋、碎藕片、白糖、酱油、精盐、味精煮20分钟，然后放入鸡丁焖煮10分钟，制成鸡肉素菜丁。

3. 米饭加入鸡肉素菜丁，盛入碗内，摆上藕片、蛋皮和香菇，然后放入锅中蒸10分钟，撒上姜片即成。

烘烤
咸鲜清香

四菌烩饭

原料 大米饭200克，口蘑、金针菇、冬菇、鸡腿菇各50克，胡萝卜、荷兰豆各25克。

调料 葱末、姜末、精盐、味精、白糖、胡椒粉、香油各少许，水淀粉适量，鲜汤250分，酱油、料酒各1小匙，植物油2小匙。

制作步骤

① 口蘑一切两瓣；金针菇、鸡腿菇洗净，切成小段；冬菇用温水泡发回软，洗净；荷兰豆切成菱形

豌豆烤饭

原料 大米100克，鲜豌豆粒75克，胡萝卜、面包糠各50克，鸡蛋1个，洋葱末10克。

调料 熟猪油25克，精盐、植物油各适量。

制作步骤

① 将大米淘洗干净，放入清水锅内煮成大米饭。

② 当大米饭将熟时，将胡萝卜洗净，放在米饭上蒸熟，取出胡萝卜，改刀切成丁。

③ 将鸡蛋磕入碗中，加入胡萝卜、豌豆粒、精盐、洋葱末、熟猪油拌匀，再加入大米饭拌匀。

④ 烤盘内抹一层熟猪油，铺入一层面包糠，把拌好的米饭放上面抹平，再抹一层熟猪油，放入烤箱内烤至表面呈金黄色，取出即可。

片；胡萝卜改刀切成菱形片。

② 将四菌和蔬菜放入沸水锅内焯透，捞出沥水。

③ 锅中加油烧热，用葱末、姜末爆香，下入调味料烧沸，再加入四菌和蔬菜炒匀，用水淀粉勾芡，淋上香油，出锅浇在大米饭四周即可。

蒸扣
咸鲜软烂

肉肠蔬菜饭

原料 粳米300克,猪肉、青菜、土豆、胡萝卜各200克,熟香肠丁100克,芹菜40克,香菜末少许。

调料 葱丝、姜丝、精盐、味精、胡椒粉、香油、植物油、熟猪油各适量。

制作步骤

❶ 将猪肉、青菜、土豆、胡萝卜、芹菜均洗净,切成丁;粳米淘洗干净。

❷ 将粳米和"丁料"放入锅内,加入葱丝、姜丝、精盐、熟猪油、植物油拌匀。

❸ 再加入适量开水,置火上煮熟,然后淋入香油,撒入味精、胡椒粉、香菜末拌匀即可。

松子牛肉饭

原料 米饭500克,牛肉200克,黄豆芽300克,松子20克,洋葱末、熟芝麻末各10克,辣椒丝、香菜末各少许。

调料 蒜泥5克,精盐、辣椒酱各适量,白糖、料酒、香油各2小匙,酱油1大匙。

制作步骤

❶ 牛肉洗净,剁成碎块,加入酱油、白糖、蒜泥、芝麻、洋葱抓匀;黄豆芽去根、洗净。

❷ 锅中加入香油烧热,下入腌好的牛肉炒至变色,再加入黄豆芽、松子略炒,然后放入米饭炒匀,再加入清水、酱油、料酒、精盐焖煮至熟,出锅装盘,最后撒上辣椒酱、辣椒丝、香菜末即可。

鱼子黄瓜饭

原料 米饭600克,黄瓜150克,香干、蘑菇各100克,红鱼子50克。

调料 葱花少许,精盐1/2大匙,味精1/2小匙,料酒、植物油各2大匙,熟猪油1大匙。

制作步骤

❶ 将黄瓜洗净,切成1厘米见方的小丁;香干、蘑菇分别洗净,切成丁。

❷ 炒锅置旺火上,加入熟猪油、植物油烧热,先下入葱花炒香。

❸ 再加入香干、香菇、黄瓜丁、鱼子略炒,然后加入精盐、味精、料酒炒匀,再淋入开水50克,倒入米饭,盖上锅盖焖3分钟即成。

第6天
包子饺子最好吃

蟹肉小笼包 锅蒸 咸鲜汁浓

原料 中筋面粉200克，猪五花肉150克，螃蟹2个。

调料 葱花30克，精盐、鲜鸡粉、白糖、胡椒粉、香油各适量，熟猪油200克。

准备工作

❶面粉放在盆内，加入熟猪油80克拌匀，倒入适量清水，揉匀成较软的面团，盖上湿布，稍饧。

❷螃蟹洗净，上屉用旺火蒸10分钟至熟，取出剔出蟹肉。

❸猪五花肉去除筋膜，洗净，剁成肉蓉，放入碗中，加入葱花、精盐、白糖和鲜鸡粉调拌均匀。

❹再加入胡椒粉、香油、熟猪油和蟹肉搅拌均匀，制成馅料。

制作步骤

❶面团分成12等份，放在案板上，用擀面杖擀成圆形面皮。

❷取1张面皮，中间放入适量馅料，捏合收拢成小笼包生坯。

❸蒸锅加水，置旺火上烧沸，放入小笼包蒸8分钟至熟即可。

【原 料】面粉500克，黄瓜250克，鲜贝肉100克，鸡蛋5个。

【调 料】精盐1小匙，味精1/3小匙，淀粉2大匙，胡椒粉、香油各少许，植物油适量。

准备工作

❶面粉用沸水烫透、晾凉，揉成面团，稍饧。

❷鸡蛋搅散，下入热油锅中炒熟，出锅剁碎。

❸黄瓜洗净、切丝，剁成黄瓜蓉；淀粉加入少许精盐，用清水调成淀粉浆。

❹鲜贝肉洗净，切成小粒，放在容器内，加入鸡蛋、黄瓜及少许精盐、味精、胡椒粉、香油搅匀入味，制成馅料。

制作步骤

❶面团搓条，每50克下4个剂子，擀成饺子皮，包入馅料封口。

❷平锅置火上烧热，整齐地摆上饺子，淋上少许植物油。

❸小火煎至底部金黄色时，淋入淀粉浆，盖严盖，焖3分钟。

❹并不停地转动平锅使其受热均匀，见水分渐干，呈冰花状时。

❺淋入植物油续煎片刻，出锅扣入盘中即可。

冰花煎饺 （油煎）
咸鲜酥脆

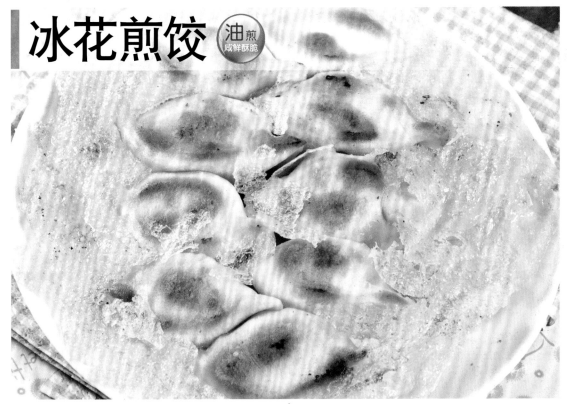

原料 中筋面粉500克，韭菜200克，虾仁150克，细粉丝100克，鸡蛋3个。

调料 精盐、味精各1/2小匙，香油1小匙，胡椒粉、植物油各适量，熟猪油2大匙。

准备工作

❶鸡蛋磕入碗中打散，放入烧热的油锅内炒熟，出锅剁碎。

❷韭菜择洗干净，切段；粉丝用温水泡软，沥水后切碎；虾仁去沙线，洗净，切成丁，放入容器内。

❸加鸡蛋、韭菜、粉丝、精盐、味精、胡椒粉、香油拌匀成馅。

❹面粉放入盆内，加入熟菜油调匀，再加入清水和成面团；用湿布盖严，饧约20分钟，每50克下一个面剂；用擀面杖擀成长方形面皮。

制作步骤

❶面皮放在案板上，中间抹上馅料，两头封严成回头生坯。

❷平锅淋入植物油烧热，整齐地码放上回头生坯。

❸用中小火煎至两面呈金黄、熟透时，取出回头，装盘即成。

三鲜回头 油煎 咸鲜酥脆

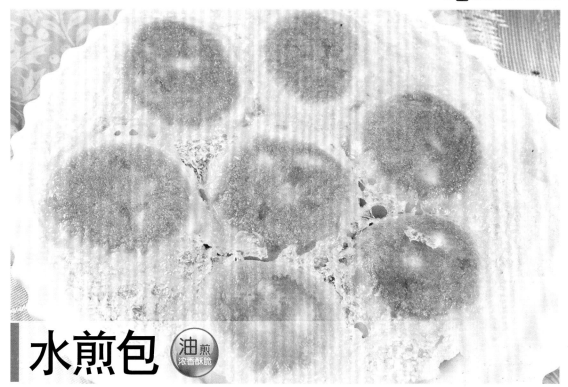

水煎包 油煎 浓香酥脆

原料 面粉500克，猪肉馅、白菜各250克，酵母粉10克。

调料 葱末、姜末各少许，精盐、味精各1/3小匙，酱油、料酒各1/2大匙，白糖1/2小匙，香油适量，植物油125克。

准备工作

❶取少许面粉加入清水调匀成面粉浓浆。

❷酵母粉放入盆内，加入清水化开，放入剩余面粉搅匀成面团，用湿布盖严，饧30分钟。

❸白菜洗净，下入沸水中烫透，捞出剁碎，放在容器内，加入肉馅、葱末、姜末拌匀。

❹再加入精盐、酱油、料酒、白糖、香油、味精搅匀成馅料。

制作步骤

❶面团搓条，每25克下1个剂，擀成圆皮，包入馅料，捏褶收口。

❷平锅加入植物油烧热，依次摆入包子，再淋入清水、面粉浆。

❸盖严盖，煎焖至熟，待浆水结成薄皮时，淋入少许明油。

❹略煎片刻，待包子底部呈金黄色时，即可出锅装盘。

原 料 面粉、油菜各500克,香菇50克,酵母粉10克。

调 料 葱末、姜末、胡椒粉、香油各少许,精盐、味精各1小匙,料酒、酱油各1大匙,植物油适量。

⬇ 准备工作

❶面粉加酵母粉拌匀,用清水和匀成面团。

❷用湿布盖严,饧40分钟,再加入面粉揉匀。

❸油菜洗净,用沸水烫透,捞出冲凉、切粒。

❹香菇用清水浸泡至软,捞出去蒂、洗净。

❺攥去水分,切成小粒,加入料酒调拌均匀。

❻锅中加油烧热,加入香菇、酱油煸炒至入味,盛出。

⬇ 制作步骤

❶炒好的香菇放入盆内,放入油菜粒、葱末、姜末调拌均匀。

❷加入精盐、味精、胡椒粉、香油、少许植物油调匀成馅料。

❸面团每25克下一个剂子,擀成圆皮,包入馅料,饧30分钟。

❹蒸锅加水烧沸,放入包子用旺火蒸5分钟至熟,装盘即可。

素馅包子 锅蒸 清香软嫩

牛肉灌汤蒸饺

锅蒸
咸香汁鲜

原料 面粉300克，精牛肉250克，猪肉皮100克。

调料 葱段、姜片各少许，精盐、味精、胡椒粉各适量，花椒水、淀粉各3大匙，葱姜水150克，熟猪油100克。

准备工作

❶面粉放入盆中，加入沸水搅成烫面团。

❷饧30分钟，再下成20个剂子，擀成薄圆皮。

❸肉皮洗净，入锅焯烫一下，捞出冲净、沥干。

❹切成条，放入锅内，加入清水、葱段、姜片。

❺用旺火烧沸后转中火煮约1小时，捞出葱姜。

❻倒入容器中自然冷却成冻，切成小丁。

制作步骤

❶精牛肉洗净、沥水，剁成蓉泥，加入葱姜水、花椒水搅上劲。

❷放入皮冻丁、熟猪油、精盐、味精、胡椒粉、淀粉搅成馅料。

❸放入冰箱冷冻30分钟，取出，用面皮包成灌汤饺子生坯。

❹放入蒸锅内蒸约15分钟至熟，取出装盘即可。

胡萝卜牛肉水饺

水煮
咸鲜浓香

原料 饺子粉、牛肉馅各250克，猪肥肉、胡萝卜各100克，鸡蛋2个。

调料 葱段、姜片、花椒、蒜汁、精盐、味精、植物油各适量。

准备工作

❶鸡蛋打散，入热油锅内炒熟，取出剁成末。

❷葱段、姜片和花椒放入锅内，加入清水煮沸，出锅晾凉，去除杂质成葱姜花椒水。

❸猪肥肉入锅略焯，捞出沥水，切成小粒。

❹胡萝卜去根、去皮，洗净，切成小粒。

❺牛肉馅加入葱姜花椒水搅打上劲，放入肥肉粒、鸡蛋末、胡萝卜、精盐、味精、植物油搅匀。

制作步骤

❶饺子粉放入容器内，加入清水调匀，揉成面团，饧1小时。

❷面团分成四块，搓成长条，再下成20个小剂，擀成薄圆片。

❸包入馅料成饺子形，放入沸水锅中煮熟，带蒜汁上桌即可。

原 料 面粉500克，菠菜250克，虾仁200克，猪五花肉150克。

调 料 葱花、姜末、胡椒粉、香油各少许，精盐、酱油各1大匙，味精1小匙。

⇩ 准备工作

❶ 虾仁去沙线，洗净，切成小粒；猪五花肉洗净，剁成末。

❷ 放入碗内，加入葱花、姜末调匀，放入虾仁粒拌匀。

❸ 再加入少许精盐、酱油、胡椒粉、味精、香油搅匀成馅料。

❹ 菠菜去根、洗净，剁成碎末，放在大碗内，加入精盐拌匀，腌渍约10分钟，挤出水分，留菠菜汁。

❺ 面粉加入菠菜汁和清水调匀，揉成面团，稍饧。

⇩ 制作步骤

❶ 面团分成大块，搓成长条状，每50克下8个面剂。

❷ 擀成圆薄片，包入少许馅料，捏成半月形饺子状。

❸ 蒸锅加水烧沸，摆上饺子蒸8分钟至熟，取出装盘即可。

碧绿蒸饺

锅蒸 咸鲜味美

锅 蒸
鲜咸浓香

锅 蒸
鲜咸嫩滑

叉烧包

原料 面粉400克，面肥250克，泡打粉20克，藕粉10克，食用碱少许，叉烧肉300克，熟芝麻100克。

调料 精盐、味精各少许，白糖50克，老抽、生抽各1小匙，蚝油2大匙，鹰粟粉、淀粉、植物油各适量。

制作步骤

1 食用碱化成碱水；叉烧肉切片；取少许面粉、鹰粟粉、淀粉调成糊状。

2 锅中加油烧热，加入蚝油、老抽、生抽、清水烧沸，再放入叉烧肉翻匀，撒上芝麻拌匀成馅料。

3 将面肥、白糖、面粉、食用碱、泡打粉、藕粉揉匀，制成发面团，稍饧后下成剂，再擀成圆饼，包入馅料成生坯，入锅蒸8分钟即可。

混汤包子

原料 面粉200克，羊肉末150克，香菜段15克。

调料 葱头末50克，姜末10克，精盐、排骨精各1小匙，味精、料酒、酱油各1/2大匙，香油1大匙，鸡清汤550克。

制作步骤

1 面粉放入容器内，用开水烫透，和成面团。

2 羊肉末加入料酒、酱油、姜末、葱头末及精盐2克、味精1克、香油10克、鸡清汤25克搅匀成馅。

3 面团搓成长条，下剂，擀成圆皮，包入馅料，捏成包子生坯，入锅蒸10分钟取出，撒上香菜段。

4 锅内加入余下的鸡清汤、精盐、味精及排骨精烧至滚沸，倒入盛有包子的碗内，淋入香油即成。

鹿肉包子

原料 发酵面团500克，熟芝麻100克，鹿肉末400克，胡萝卜末200克，海米末20克。

调料 葱末20克，姜末10克，精盐、白糖各1小匙，味精、十三香粉各少许，料酒、酱油、香油各1大匙，鸡汤150克。

制作步骤

1 鹿肉末放入碗中，放入熟芝麻、胡萝卜末、海米末搅匀。

2 再加入葱末、姜末、精盐、白糖、味精、十三香粉、料酒、酱油、香油及适量鸡汤调匀成馅料。

3 发酵面团揉匀，下成小剂，按扁后包入馅料，制成生坯，入蒸锅蒸15分钟至熟，即可出锅。

锅 蒸
鲜咸软嫩

发面蒸饺

原料 面粉400克，酵面100克，猪五花肉、芹菜各300克，水发粉条150克。

调料 葱末、姜末各10克，料酒、酱油各1大匙，精盐、食用碱、味精各少许，鲜汤、植物油各3大匙。

制作步骤

① 面粉、酵面、食用碱放入碗内，加温水和匀。

② 芹菜择洗干净，放入沸水锅中略焯，捞出沥干；猪五花肉、粉条、芹菜分别剁碎。

③ 肉末加入葱末、姜末、料酒、酱油、精盐、味精、鲜汤、植物油搅匀，再放入粉条末、芹菜末拌匀。

④ 面团搓成长条，揪成剂子，擀成薄皮，包入馅，捏成饺子坯，摆入蒸锅内蒸15分钟至熟，装盘即成。

锅蒸 咸鲜软嫩

锅蒸 鲜咸汁浓

油煎 鲜咸酥软

白汁蛋饺

原料 面粉25克，猪瘦肉粒150克，鸡蛋3个，荸荠粒4个，鲜菜心100克。

调料 葱末、姜末各10克，精盐、味精、胡椒粉各少许，水淀粉3大匙，鲜汤125克，熟猪油5大匙。

制作步骤

① 猪瘦肉粒、荸荠粒一同放入碗中，加入精盐、味精、胡椒粉搅匀成馅。

② 水淀粉、鸡蛋、面粉、精盐调成面粉糊，倒入抹油的圆勺内摊成薄片，再包入馅料，捏成饺子，入锅蒸约2分钟。

③ 锅置火上，加入鲜汤、鲜菜心、姜、葱、鲜汤、味精、精盐烧沸，再放入蛋饺煮匀即可。

虾肉煎饺

原料 面粉200克，虾仁100克，韭菜250克，玉米粒、肥瘦肉馅各50克。

调料 精盐、鸡精、香油、植物油各适量。

制作步骤

① 韭菜择洗干净，切成末，虾仁洗净，切成小粒，与玉米粒、肥瘦肉馅、精盐、鸡精、香油拌成馅心。

② 面粉中加入适量沸水揉透成烫面，搓成长条，揪成小剂，擀成圆皮，包入馅心，捏成蒸饺生坯。

③ 锅置火上，加入适量植物油烧热，将饺子生坯排列整齐放入锅中，待煎至呈金黄色时，加入少许冷水，加盖煎约6分钟即成。

锅蒸
咸鲜清香

四喜鱼蓉蒸饺

原料 面粉500克，净鱼肉350克，韭菜150克，鸡蛋1个。

调料 姜末25克，精盐1/2小匙，味精、十三香粉、胡椒粉各少许，排骨精、料酒各1小匙，香油1大匙，熟猪油3大匙。

制作步骤

❶ 面粉放入容器内，加入搅散的蛋液及适量清水和成面团，饧透。

❷ 韭菜洗净，切末；净鱼肉剁成蓉，放入容器内，加入调味料搅匀，再加入熟猪油、韭菜末拌匀成馅。

❸ 面团搓成长条，揪成剂子，擀成圆皮入馅，两对边在中间捏严，四角露馅，成四方形饺子坯。

❹ 饺子坯摆入蒸锅内，用旺火蒸约15分钟至熟，取出装盘即成。

冬菜包子

原料 面粉750克，猪肉末375克，冬菜嫩尖末125克。

调料 姜末、葱花、精盐、味精、白糖、胡椒粉、食用碱、料酒、酱油、香油各适量，熟猪油150克。

制作步骤

❶ 将肉末炒熟，再加入料酒、冬菜、姜末炒匀，盛出，加入葱花、精盐、味精、白糖、胡椒粉、料酒、酱油、香油拌匀成馅料。

❷ 面粉加入清水揉匀成面团，饧发后下成面剂，擀成圆皮，包入肉馅，捏褶收口，依次做好，整齐地码入蒸锅中，上火蒸至熟透，取出即成。

锅蒸
鲜咸香醇

猪肉包子

原料 面粉600克，猪肉300克，酵母2小匙。

调料 葱末、姜末、精盐、十三香、味精、鸡精、白糖、香油、植物油各适量。

制作步骤

① 猪肉剁碎，加入精盐、味精、鸡粉、香油、植物油、十三香、姜末、葱末和适量冷水调匀成馅料，放入冰箱中冷冻15分钟。

② 面粉加入酵母、糖水和成面团，饧好，揪成大面剂，再擀成薄皮，包入调拌好的肉馅，捏褶收口，制成包子生坯，稍饧几分钟。

③ 蒸锅加入清水烧沸，将包子生坯上屉蒸15分钟至熟，即可取出食用。

锅蒸
鲜咸嫩滑

山东包子

原料 面粉500克，清水250克，酵母10克，猪五花肉1000克，大白菜500克，粉丝50克。

调料 葱末、姜末、胡椒粉、香油、白糖、甜面酱、精盐、味精、酱油、鲜汤各适量。

制作步骤

① 猪五花肉洗净，切丁，加入调味料炒熟；大白菜洗净，切丁；粉丝用温水泡软，切碎，与猪肉、白菜一同放入容器中，加入葱、姜、调味料拌匀成馅料。

② 面粉加入酵母、白糖、清水调匀成面团，用湿布盖严，稍饧，下成面剂，擀成片，包入馅料，捏成包子生坯，上屉蒸熟，取出即可。

青椒猪肉蒸饺

原料 黑米粉500克，猪肉末、青椒、黄瓜各适量。

调料 葱末、姜末、精盐、味精、料酒、五香粉、鸡精、香油、植物油各适量。

制作步骤

① 一半黑米粉加开水和成烫面，再加入适量清水和余下的黑米粉和成面团，略饧。

② 青椒、黄瓜洗净，切成末，撒上精盐略腌，挤去水分；猪肉末放入碗中，加入调料搅匀，再放入黄瓜末、青椒末拌匀成馅。

③ 面团搓成条，揪成剂子，擀成薄皮，放上馅料，捏成月牙形饺子坯，摆入蒸锅蒸熟，取出即成。

锅蒸
咸香汁鲜

锅蒸
软嫩清香

水煮
软嫩微酸

酸菜水饺

原料 面粉500克,猪肉400克,酸菜300克。

调料 葱末25克,酱油1大匙,精盐、味精各1/2小匙,五香粉少许,腐乳汁1大匙,植物油3大匙。

制作步骤

① 猪肉、酸菜分别洗净,剁成末;酸菜挤去水分,与猪肉末一同放入容器内,加入酱油、葱末、精盐、味精、五香粉、腐乳汁搅匀上劲,制成馅料。

② 面粉加入清水和成面团,略饧后搓成长条,揪成剂子,擀成圆皮,放入馅料,捏成饺子坯。

③ 锅中加水烧开,下入饺子坯,用手勺推转,盖上盖,用中火烧沸后点凉水30克,盖上盖,连续点凉水三次,至饺子熟透,捞出即成。

烫面糖蒸饺

原料 面粉500克,芝麻50克。

调料 绵白糖250克,糖桂花2大匙,熟猪油3大匙。

制作步骤

① 将面粉加入适量开水烫熟,揉成面团,再放在刷油的案板上,晾凉揉透,制成烫面团备用。

② 将芝麻放入热锅中炒熟,取出后碾碎,再放入盆中,加入绵白糖、糖桂花拌匀,制成馅料待用。

③ 将面团揉匀,搓成长条,揪成小剂子,再擀成圆皮,包入馅料,然后收口捏严,制成"牛角形"饺子生坯,再入锅中蒸10分钟至熟,取出即成。

锅蒸
香甜软嫩

开胃果肉水饺

原料 面粉400克,香蕉275克,山楂糕、葡萄干各30克。

调料 白糖150克,熟猪油30克。

制作步骤

① 面粉放入容器内,加入凉水和成面团,略饧。

② 香蕉去皮,与山楂糕一同放入容器内,捣成泥;葡萄干切末,与白糖、熟猪油一同放入香蕉泥内拌匀成馅。

③ 面团搓成长条,揪成剂子,擀成圆皮,抹上馅,捏成月牙形饺子坯。

④ 锅内加水烧开,下入饺子坯煮至熟透,捞出装盘,即可上桌食用。

水煮
香甜微酸

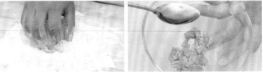

果酱包子

锅蒸
甜香软嫩

原料 中筋面粉500克，老酵面150克，苹果酱200克。

调料 食用碱液1小匙。

制作步骤

① 老酵面放入盆内，加入沸水230克调开，掺入面粉和成面团，用湿布盖严，加入碱水揉和均匀，饧发片刻。

② 果酱中加入少许面粉搅拌均匀。

③ 将面团搓成长条，揪成每个50克的面剂，逐个按成面皮，包入果酱，包口处捏一下。

④ 蒸锅加水烧沸，将包子放入蒸笼内，用大火蒸13分钟至熟，出锅装盘即可。

锅蒸
清香软嫩

锅蒸
咸鲜清香

马齿菜包子

原料 面粉、鲜马齿菜各500克，韭菜末250克，海米25克，虾仁30克，发酵粉20克。

调料 葱花10克，姜末15克，精盐1大匙，味精、甜酱各2小匙，五香粉1小匙，香油、高汤各2大匙。

制作步骤

① 马齿菜洗净，用沸水略焯，捞出沥干，剁成末；海米用热水泡透；虾仁挑去泥肠，洗净，切成粒。

② 将马齿菜、韭菜、高汤、海米、虾仁、精盐、味精、甜酱、葱、姜、五香粉、香油拌匀，制成馅心。

③ 将发酵粉加入温水调开，放入面粉中，再加温水和成面团，发酵后搓成长条，揪成面剂，擀成面皮，包入馅料，捏成包子状，放入蒸笼中蒸熟即成。

海鲜包子

原料 面粉500克，水发海参、水发鱿鱼、水发虾仁各200克。

调料 葱末75克，姜末50克，精盐1/2小匙，鸡精1小匙，泡打粉2小匙，胡椒粉适量，料酒1大匙，熟猪油3大匙。

制作步骤

① 面粉、泡打粉一同放入容器中，加入适量温水和成软面团，稍饧。

② 海参、鱿鱼、虾仁均洗净，剁成碎末，放入容器内，加入所有调料拌匀成馅料。

③ 面团搓成长条，下剂子，放入馅料，包成包子生坯，再入锅用大火蒸15分钟至熟，取出即可。

锅蒸
鲜香适口

鲜汤羊肉包

原料 面粉500克，羊肉末400克，鸡汁冻200克，

调料 葱末、姜末各50克，精盐、味精、五香粉各少许，料酒2小匙，酱油、香油各1大匙，熟猪油2大匙。

制作步骤

❶ 面粉加入温水和成面团，揉匀后略饧。

❷ 羊肉末加入料酒、酱油、葱末、姜末、香油、熟猪油、精盐、味精、五香粉调匀。

❸ 鸡汁冻切成碎粒，放入羊肉末内调匀成馅料。

❹ 面团搓成长条，揪成剂子，按扁擀成圆皮，抹上馅料，提褶收口，捏严成包子坯，摆入蒸锅内，用旺火蒸约15分钟至熟，取出即成。

锅蒸
软糯香甜

白兔饺

原料 澄面500克，淀粉200克，奶皇馅400克，红樱桃1粒。

调料 白糖200克，猪油1大匙。

制作步骤

❶ 将澄面、淀粉用沸水烫熟，迅速和匀，再调入白糖、猪油，揉匀饧好。

❷ 将面团搓条，揪成剂子，按扁擀薄，包入奶皇馅，再揉成一头圆一头尖，然后将尖的一头按扁，用剪刀剪成两半，向后竖起，做成兔子耳朵。

❸ 再剪出尾巴和腿，最后将红樱桃切成小粒，粘在兔子头的两边作眼睛，制成兔饺生坯。

❹ 锅中加水烧开，将兔饺生坯码入蒸锅蒸熟即成。

锅蒸
咸鲜软嫩

精肉包子

原料 面粉500克，老酵面50克，猪肉350克。

调料 姜葱汁、白糖、酱油、料酒、香油、食用碱各适量。

制作步骤

❶ 猪肉洗净，剁成小粒，加入酱油拌匀，再剁成细末，放入碗内，加入白糖、料酒、葱姜汁、酱油及适量清水搅拌均匀，至肉馅上劲，加入香油拌匀成馅料。

❷ 面粉加入温水和匀，揉搓均匀成面团，稍饧，将面团搓成长条，下成小面剂，擀成面皮，包入馅料，捏合接口，入笼蒸15分钟至熟即成。

锅蒸
软嫩咸鲜

小笼馒头

原料 特级面粉350克,面肥200克,食用碱3克,猪五花肉450克,肉皮冻粒150克。

调料 姜末20克,葱花10克,精盐、料酒、白糖各2小匙,味精1/2小匙,酱油3大匙,熟猪油少许。

制作步骤

① 面粉倒入盆中,加入温水及面肥揉匀,加入食用碱水,揉成光滑软韧的面团,稍饧。

② 猪五花肉洗净、剁碎,加入白糖、料酒、精盐、酱油、味精、葱花、姜末、肉皮冻粒拌匀成肉馅。

③ 将面团搓成条,下成剂子,擀成圆片,包入肉馅,捏成15~17个褶纹,制成馒头生坯。

④ 笼内刷上熟猪油,放入馒头生坯蒸熟即成。

 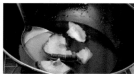

③ 鸡肉粒内加入所有调配料拌匀成馅料。

④ 面团搓成长条,揪成小剂子,按扁擀成圆皮,抹上馅料,合拢捏成半圆形饺子坯,下入沸水锅内煮6分钟,中间点两次凉水,至熟捞出装盘即成。

蘑菇鸡肉饺

原料 面粉500克,鸡肉、鲜蘑各300克

调料 葱末30克,姜末20克,精盐、鸡精、味精、料酒、鲜汤、香油、熟猪油各适量。

制作步骤

① 面粉放入容器内,加入清水和成面团,略饧。

② 鸡肉洗净,剁成末;鲜蘑洗净,放入沸水锅中焯一下捞出,剁碎,挤去水分。

水煮
咸鲜嫩滑

锅蒸
软嫩鲜香

锅蒸
鲜香嫩滑

蛋皮香菇烧卖

原料 面粉、猪肉馅各300克，水发香菇粒200克，虾仁50克，鸡蛋4个。

调料 葱末、姜末各少许，精盐、味精各1小匙，生抽1大匙，胡椒粉、香油各适量。

制作步骤

① 水发香菇入锅中炒香，取出晾凉；虾仁去沙线，洗净，大的一切两半。

② 猪五花肉洗净，剁成蓉，再加入香菇、虾仁、葱末、姜末、精盐、生抽、胡椒粉拌匀成馅。

③ 面粉中磕入鸡蛋液搅匀，揉搓面团，稍饧，下剂，擀成圆皮，再把圆边擀至起褶，放入馅料，轻轻合拢，取篦子刷上香油，摆上烧卖蒸熟即可。

猪肉蒸饺

原料 面粉250克，猪肉馅300克。

调料 植物油适量。

制作步骤

① 面粉加入沸水100克揉和成团，揉透后揪成20个面剂，再擀成直径为8厘米的圆皮，然后包入适量馅料。

② 将面皮约分为内四成、外六成，左手大拇指卷起用指关节顶住内四成皮子，然后用右手两个手指捏出瓦楞式褶皱，即成月牙形饺子生坯。

③ 锅置火上，把饺子生坯放在笼内蒸7分钟，见成品鼓起且不粘手时，即可取出装盘。

油炸
浓香酥脆

炸酥饺

原料 面粉500克，熟火腿末150克。

调料 葱末、味精、香油、熟猪油、植物油各适量。

制作步骤

① 将火腿、大葱加入调味料搅拌成馅；用250克面粉加入125克熟猪油搓匀成油酥。

② 剩余的面粉加入25克熟猪油、125克温水搅拌均匀，揉成面团，稍饧。

③ 将油酥包入面团，擀成长方形面片，从上至下卷成圆卷，按每50克切成4个面剂，擀成片，两张合一包入馅料，捏成饺子盒形，边捏"绞绳状"，再入热油中炸至金黄，捞出沥油，装盘即可。

菊花包子

原料 发酵面团450克,豆沙馅350克。

调料 食用红色素少许,食用碱水1小匙。

制作步骤

1 将酵面加入食用碱水揉透,搓成条,揪成10个面剂,逐一按扁,包入适量豆沙馅料,收口捏拢,剂口朝下放入屉中。

2 上笼用旺火蒸熟,取出,趁热剥去外皮,用剪刀自下而上剪出一层层叶瓣直至中心。

3 剪时上面一瓣叶子必须在下面二瓣的当中,在顶部中心刷上少许红色素,装盘上桌即可。

锅蒸
咸香软嫩

锅蒸
咸鲜绵软

冬菜鸭肉包

原料 发面团500克,面粉30克,嫩芽冬菜150克,鸭胸肉180克,食用碱适量。

调料 葱末20克,姜末10克,精盐、鸡精各适量,香油1大匙,植物油2大匙。

制作步骤

1 发面团加入适量食用碱,揉搓均匀。

2 冬菜洗净,切末,盛入碗中;鸭胸肉洗净、切粒。

3 锅中加油烧热,下入鸭肉粒、姜末、葱末炒匀,出锅倒入冬菜中,加入精盐、鸡精拌匀成馅料。

4 将面团下剂子,撒上面粉,压扁,包入馅料,用拇指、食指、中指沿面皮边缘捏18~20个褶纹收拢,放入蒸笼中,用旺火蒸约15分钟至熟即成。

鲜汁包子

原料 面粉400克,酵面100克,羊肉末350克,虾仁30克,黄瓜150克

调料 葱末、姜末各15克,精盐、味精、胡椒粉、食用碱、料酒、香油、鸡油、鸡汤各适量。

制作步骤

1 面粉、酵面、食用碱加入温水和成面团,略饧。

2 虾仁用温水泡透,剁成末;黄瓜洗净,切成末;羊肉末加入料酒、鸡汤及泡虾仁的原汁顺一个方向搅匀,再加入虾仁末、黄瓜末及调料拌匀成馅。

3 面团搓成长条,揪成剂子按扁,擀成圆皮,包入馅,提褶收口,捏成圆形包子坯,摆入蒸锅内,用旺火足汽蒸15分钟至熟取出即成。

水煮
鲜香软滑

白菜水饺

原料 面粉500克，鸡蛋3个，韭菜300克，水发粉条100克，水发木耳75克。

调料 姜末15克，精盐、味精、十三香粉各少许，香油1大匙，植物油3大匙。

制作步骤

❶ 面粉加入适量清水和成面团，揉匀后略饧。

❷ 猪肉、白菜分别洗净，剁成碎末；白菜末放入盆中，加入少许精盐腌渍一下，挤出水分，再与猪肉一同放入容器内，加入姜末、精盐、味精、十三

香粉、香油、植物油搅匀成馅料。

❸ 面团搓成长条，揪成剂子，擀成圆皮，包入馅料，捏成月牙形饺子生坯。

❹ 锅中加入适量清水烧沸，下入饺子生坯，顺一个方向推转，煮开后点凉水（如此三次），待饺子熟透、鼓起，捞出装盘即可。

韭菜盒子

原料 面粉500克，韭菜末350克，猪肉馅250克，虾肉泥50克。

调料 精盐、味精1/2小匙，酱油、料酒各1大匙，香油2大匙，植物油100克。

制作步骤

❶ 将面粉加入适量清水和成面团，稍饧，再搓成小条，下成面剂。

❷ 将虾肉泥、猪肉馅、韭菜一同放入容器中，加入调味料搅拌均匀，制成馅心。

❸ 将面剂子擀成圆皮，抹上馅料，制成韭菜盒子生坯，再下入油锅中煎至表面金黄，装盘即可。

干煎
清香鲜咸

白菜猪肉水饺

原 料 饺子粉、猪肥瘦肉各250克,净大白菜300克,水发海米末500克。

调 料 葱末、姜末各25克,蒜泥、精盐、味精、酱油、白醋、香油各适量,植物油100克。

制作步骤

① 将猪瘦肉剁成细泥;猪肥肉切末;大白菜剁成细末,稍挤水分。

② 将肉馅加入葱末、姜末、酱油、精盐、味精搅匀,再放入白菜末、海米末、植物油、香油拌匀成馅料。

③ 将饺子粉加水和好,饧约1小时,下成60个剂子,擀成薄皮,包入馅料,下入沸水中煮熟,捞出装盘,与蒜泥、白醋一同上桌蘸食即可。

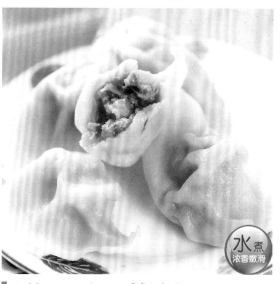

水煮
浓香嫩滑

三鲜包

原 料 自发面粉500克,猪肉250克,大虾150克,水发海参100克。

调 料 葱末、姜末、精盐、酱油、胡椒粉、鸡精、香油、植物油各适量。

制作步骤

① 将大虾去皮、去头,洗净,切成粗粒;海参洗净、切丁,下入沸水中焯汤一下,捞出沥干。

② 将猪肉洗净、剁碎,加入精盐、酱油、虾料、海参、葱、姜、鸡精、香油、胡椒粉拌匀,制成馅料。

③ 面粉和好揉匀,搓成条,揪成剂子,擀成圆皮,放入馅料,制成包子生坯,放入屉中蒸熟即成。

锅蒸
咸鲜绵软

满口鲜蒸饺

原 料 黑米粉350克,高筋面粉175克,鱼肉蓉、韭菜末各300克,羊肉蓉100克,紫菜末30克。

调 料 料酒、酱油、精盐、味精、鸡精、十三香粉、鸡蛋、鲜汤、香油各适量。

制作步骤

① 将1/3黑米粉、1/3高筋面粉拌匀,加开水和成烫面,再加凉水和余下的面粉和成面团,略烫。

② 鱼肉蓉、羊肉蓉、搅散的蛋液和鲜汤搅匀上劲,再加入调料搅匀,放入紫菜、韭菜拌匀成馅。

③ 面团搓成条,揪成小剂子,擀成圆皮,包入馅料,捏成饺子坯,摆入蒸锅内蒸熟,取出即成。

锅蒸
鲜香爽滑

水煮
咸鲜清香

韭菜鲜鱿水饺

原料 面粉500克，鱿鱼末400克，韭菜末200克。

调料 姜末15克，精盐、鸡精、味精、胡椒粉、五香粉各少许，料酒、香油、熟猪油各1大匙。

制作步骤

① 面粉放入容器内，加凉水和成硬面团饧透。

② 鱿鱼末放入容器内，加入全部调料顺一个方向搅匀上劲，再加入韭菜末拌匀成馅。

③ 面团搓成长条，揪成剂子，按扁擀成圆薄皮，抹上馅，捏成月牙形饺子坯。

④ 锅中加水烧开，下入饺子坯，用手勺推转，盖上盖，用中火煮沸，点凉水30克，再加盖煮沸，再点2次水，至饺子熟透，捞出装盘即成。

笋肉馄饨

原料 面粉500克，猪肉300克，竹笋粒150克，香菜末、胡萝卜末各50克，海米15克，紫菜20克。

调料 葱末、姜末、精盐、味精、酱油、胡椒粉、淀粉、香油各适量，清汤1500克。

制作步骤

① 将猪肉洗净，剁成碎末；与竹笋、胡萝卜、香菜梗一起放入盆中，加入精盐、味精、酱油、香油、胡椒粉、葱末、姜末搅匀上劲，制成馅料。

② 将面粉加入清水、淀粉，和成面团，搓成长条，揪成剂子，擀成薄皮，包入馅料，捏成馄饨生坯。

③ 锅中加清汤烧开，放入馄饨煮至八分熟，再下入海米、紫菜、葱末、精盐、味精、香油煮熟即可。

水煮
鲜香嫩滑

清真玉面蒸饺

原料 玉米面、面粉、牛肉、大萝卜各300克。

调料 葱末、姜末各15克，精盐、味精、鸡精、胡椒粉、五香粉、泡打粉各少许，料酒、香油各2小匙，酱油1大匙，鸡汤、花椒油各2大匙。

制作步骤

① 玉米面、面粉、泡打粉放入同一容器内拌匀，加温水和成面团，略饧。

② 大萝去皮，洗净，剁碎，撒入精盐略腌，挤去水分；牛肉洗净，剁成肉末，放入另一容器内，加入所有调料搅匀，再加入萝卜末拌匀成馅。

③ 面团搓成长条，揪成剂子，按扁擀成圆饼皮，放上馅，捏成饺子坯，摆入蒸锅内蒸熟，取出即成。

锅蒸
软嫩咸鲜

红油水饺

原料 面粉、猪肉馅各500克,鸡蛋1个。

调料 姜末、蒜泥各50克,老姜少许,精盐、花椒、胡椒粉各1/2小匙,酱油5大匙,白糖1大匙,味精2小匙,红油100克。

制作步骤

❶ 将面粉加入清水和成面团,稍饧,搓成条,下成面剂,再擀成饺子皮;老姜拍松,放入锅中,加入清水和花椒烧开,制成花椒水;肉馅中加入胡椒粉、味精、精盐、鸡蛋、姜末、花椒水搅匀。

❷ 将馅料包入饺子皮中,捏花边封口待用。

❸ 锅中加水烧开,下入饺子煮熟,捞入碗中,再加入酱油、红油、白糖、味精、蒜泥调匀即成。

水煮
香辣嫩滑

锅蒸
软嫩咸鲜

锅烙
鲜香脆软

猪肉白菜烙盒

原料 面粉500克,猪肉馅300克,白菜600克。

调料 葱末、姜末各少许,精盐、味精各1/2小匙,料酒、酱油各1大匙,花椒粉1/3小匙,豆油、香油各1/2大匙。

制作步骤

❶ 将白菜洗净、剁碎,挤去水分,与猪肉馅一起加调味料搅拌均匀,制成馅料。

❷ 将面粉用开水烫透,揉成面团,稍饧片刻,搓成长条。

❸ 每25克下1个面剂,擀成圆片,包入馅料,捏出花边,放入平锅中烙至两面金黄色、熟透即可。

猪肉白菜蒸饺

原料 荞麦面500克,猪肉、嫩白菜各300克。

调料 葱末、姜末、精盐、味精、十三香粉、胡椒粉、料酒、酱油、植物油各适量。

制作步骤

❶ 荞麦面放入容器内,用开水烫透,晾凉后和成面团,略饧。

❷ 嫩白菜洗净,剁碎,放入容器内,撒入精盐1克拌匀略腌,挤去水分。

❸ 猪肉洗净,剁成末,放入另一容器内,加入所有调料顺一个方向搅匀,再加入白菜末拌匀成馅。

❹ 面团搓成条,揪成剂子,擀成圆皮,包入馅料,捏成饺子坯,入蒸锅蒸20分钟至熟,取出即成。

锅蒸
软嫩鲜香

韭菜肉馅包子

原料 发酵面团450克，韭菜350克，猪五花肉150克。

调料 葱末、姜末各10克，精盐、香油各2小匙，黄酱1小匙。

制作步骤

❶ 将猪五花肉洗净，剁成肉蓉；韭菜择洗干净，切成末，同猪肉蓉一起放入盆中，加入香油、黄酱、精盐、葱末、姜末搅拌均匀成肉馅。

❷ 将发好的面团分为4份，搓成小条、下成面剂，擀成中间稍厚，四周稍薄的圆皮，包入馅料，上笼用旺火蒸20分钟，取出装盘即成。

锅蒸
鲜香软嫩

蟹黄饺

原料 面粉500克，韭黄末350克，虾仁70克，蟹子100克，鸡蛋250克。

调料 精盐1/2小匙，味精1大匙，鸡精、胡椒粉、香油各2小匙。

制作步骤

❶ 将面粉放入盆中，加入开水和匀，揉成面团。

❷ 将虾仁挑除沙线，洗净、切碎；蟹子蒸熟，切末；鸡蛋打入碗中搅匀，入热油中炒熟，晾凉。

❸ 将韭黄、鸡蛋、虾仁、蟹子、精盐、味精、香油、胡椒粉、鸡精拌匀成馅料。

❹ 将面团饧好，搓成条，下成面剂，再擀成薄皮，包入馅料，捏成月牙形，放入蒸锅蒸8分钟即成。

锅蒸
咸香适口

驴肉汤包

原料 面粉、驴肉末各400克，泡打粉少许。

调料 葱末、姜末、精盐、味精、排骨精、胡椒粉、十三香、料酒、老抽、高汤、鸡油各适量。

制作步骤

❶ 面粉用开水烫一半，再加入凉水与另一半面粉和成面团，略饧。

❷ 驴肉末加入料酒搅匀，再加入高汤及余下的调料搅匀至上劲，制成馅料。

❸ 面团搓成长条，揪成剂子，擀成圆皮，包入馅，捏成包子坯，摆入蒸锅内蒸约15分钟至熟，取出即成。

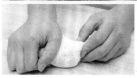

凤菇包

原料 面粉500克，鸡肉100克，干冬菇、鸡蛋各25克，食用碱、面肥各适量。

调料 精盐、味精、水淀粉、鲜汤各适量，料酒、白糖各1大匙，熟猪油250克。

制作步骤

❶ 冬菇洗净、去根，用鲜汤泡软，捞出沥水，切成丁；鸡肉洗净，切丁，加入精盐、鸡蛋、水淀粉拌匀。

❷ 锅中加油烧热，下入鸡丁、冬菇、料酒略炒，盛人盆中，加入味精、白糖、鸡丁拌匀成馅料。

❸ 将面粉加入面肥和水揉匀，稍饧，加入食用碱揉匀，发好的面团下成小坯，压扁后包入馅心，捏成包子花纹，上笼蒸10分钟至熟即成。

锅蒸
鲜香软嫩

菇香水饺

原料 面粉500克，鸡肉300克，水发香菇150克。

调料 葱末30克，姜末10克，料酒1大匙，精盐、味精、五香粉各少许，鸡汤、植物油各2大匙。

制作步骤

❶ 将面粉加入适量清水和成面团，略饧。

❷ 鸡肉、香菇均剁成碎末，一同放入碗中，加入调料搅拌均匀，制成馅料。

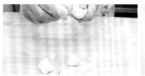

❸ 面团搓成长条，揪成60个大小均匀的剂子，按扁擀成圆饼皮，放上馅料，捏成半圆形饺子坯。

❹ 锅中加水烧开，下入饺子坯，盖上盖煮开，点人凉水30克，再盖上盖，煮开至熟，捞人盘中即成。

水煮
鲜香软滑

五丁包子

锅蒸 绵软咸香

原料 面粉750克, 鸡胸肉、猪里脊肉、胡萝卜、荸荠、虾仁各适量, 酵母粉、泡打粉各10克。

调料 葱末、姜末、精盐、味精、酱油、花椒粉、花生酱、胡椒粉、白糖、香油各适量。

制作步骤

① 面粉加入酵母粉、泡打粉、清水揉成发面团。

② 鸡肉、猪里脊肉、胡萝卜、荸荠、虾仁分别洗净, 切丁, 放入容器中, 加入精盐、味精、白糖、酱油、香油、花生酱、葱、姜、花椒粉、胡椒粉拌成馅料。

③ 将发面团饧好, 每35克下一个面剂, 擀成面皮, 再包入适量馅料, 捏褶收口, 放入蒸锅蒸40分钟至熟, 即可装盘上桌。

牛肉萝卜蒸饺

锅蒸 鲜香软嫩

原料 面粉300克, 牛肋肉250克, 萝卜100克。

调料 姜末15克, 精盐、味精、肉桂粉、泡打粉、料酒、老抽、高汤、香油各适量。

制作步骤

① 面粉用温水烫1/3, 再加凉水和另2/3面粉和成面团, 略饧。

② 牛肉洗净, 剁成末; 萝卜去皮, 洗净, 切成末; 牛肉末内分三次加入高汤搅匀至上劲, 再加入料酒、老抽、余下的全部调料及萝卜末搅匀成馅料。

③ 面团搓成长条, 揪成大小均匀的小剂子, 按扁擀成圆薄皮, 包入馅, 提褶捏成月牙形饺子坯。

④ 饺子坯摆入蒸锅内, 蒸约15分钟至熟即成。

鲜肉灌汤饺

原料 面粉600克, 猪里脊肉300克, 黄瓜末200克, 老鸡1只, 净肉皮1000克。

调料 精盐、花椒粉各1小匙, 味精2小匙, 酱油、料酒、香油各1大匙。

制作步骤

① 面粉加清水和成面团; 猪里脊肉洗净, 剁成末。

② 老鸡洗涤整理干净, 放入清水锅中煮3小时, 捞出老鸡, 下入肉皮续煮6小时, 熄火, 晾凉成冻, 切碎, 装入盆中, 再放入猪肉末、黄瓜末, 加入精盐、味精、酱油、料酒、花椒粉、香油调匀成馅料。

③ 将面团饧好, 下成面剂, 擀成薄皮, 包入馅料, 捏成月牙形生坯, 再放入蒸锅蒸熟, 取出即成。

锅蒸 软滑咸鲜

鲜汤香菇包

原料 面粉500克，鸡肉300克，香菇、肉皮冻各100克。

调料 葱末、姜末各20克，料酒1大匙，精盐1小匙，味精2克，五香粉1克，植物油20克。

制作步骤

① 面粉用开水烫一半，再加入温水和另一半面粉和成面团，略饧；鸡肉、香菇剁成末；皮冻切丁。

② 鸡肉末内加入调料顺一个方向搅匀，再加入香菇末、皮冻拌匀成馅料。

③ 面团搓成长条，揪成小剂子，按扁擀成圆薄皮，抹上馅，收口提褶捏成圆形包子坯，摆入蒸锅内，用旺火蒸15分钟至熟，取出即成。

锅蒸
鲜香嫩滑

锅蒸
咸鲜绵软

锅蒸
咸香软嫩

雪笋包

原料 发面团300克，嫩竹笋尖200克，腌雪里蕻150克。

调料 姜末10克，香葱花25克，甜面酱1大匙，精盐、鸡精、水淀粉、植物油各适量，食用碱少许。

制作步骤

① 将发面团中加入适量碱水揉匀，静置4分钟。

② 将竹笋、腌雪里蕻洗净，切成小粒，放入热油锅中煸炒一下，再放入甜面酱、姜末翻炒几下。

③ 然后加入精盐、鸡精炒匀，用水淀粉勾芡，出锅装盘，撒上香葱花，放入冰箱中略冻一下，取出。

④ 将面团搓条、揪剂，分别包上馅心，上屉蒸熟即成。

玉米面素菜包

原料 玉米面300克，面粉100克，黄豆面50克，大萝卜300克，水发粉条150克，海米50克。

调料 精盐1小匙，味精、十三香粉各少许，泡打粉2小匙，熟猪油3大匙。

制作步骤

① 玉米面、面粉、黄豆面、泡打粉放入同一容器内拌匀，加温水和成面团。

② 萝卜洗净，剁成碎末；水发粉条、海米均切成碎末；萝卜末用开水焯透，捞出沥水，加入粉条末、海米末、精盐、味精、十三香粉、熟猪油拌匀成馅。

③ 面团搓成长条，揪成剂子，按扁，包入馅，封口捏严，摆入蒸锅内蒸熟，取出装盘即成。

锅蒸
蔬香软嫩

翡翠虾仁蒸饺

原料 面粉、菠菜各500克，虾仁200克，猪肉末300克，韭菜200克。

调料 精盐、味精各少许，料酒、酱油、香油各2小匙，植物油2大匙。

制作步骤

1 菠菜洗净，剁成细末，放在净纱布上，包紧挤出绿菠菜汁。

2 面粉用开水烫1/2，再加入绿菠菜汁和另1/2面粉和成面团，略饧。

3 猪肉末内加入所有调料调匀；韭菜切末放在肉末内拌匀成馅。

4 面团搓成长条，揪成剂子，按扁擀成小圆皮，抹上馅，合拢收口，捏成月牙形饺子坯，摆入蒸锅内，用旺火足汽蒸8分钟至熟取出，装盘即成。

冰花鹿肉锅贴

原料 面粉300克，鹿肉100克，洋葱、虾仁各50克。

调料 葱末、姜末、精盐、味精、酱油、水淀粉、香油、花椒水、胡椒粉、植物油各适量。

制作步骤

1 鹿肉洗净，剁成泥；洋葱去皮、洗净，切成末；虾仁洗净，切成粒，放入盆中，加入精盐、味精、酱油、香油、花椒水、胡椒粉、葱、姜搅成馅料。

2 面粉加入清水、精盐和成面团，搓成长条，下成面剂，擀成薄皮，包入馅料，捏成锅贴生坯。

3 将生坯摆入煎锅中，淋入底油煎至金黄色，再加入清水，盖严盖，小火焖煎5分钟，淋入水淀粉，见布满锅底并呈冰花状，出锅装盘即可。

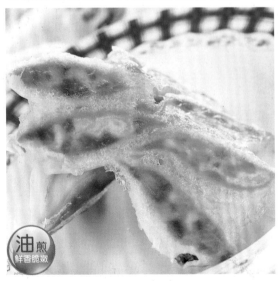

油煎
鲜香脆嫩

鸡汁锅贴饺

原料 面粉400克，牛肉、肉皮各300克，老鸡1只。

调料 葱末、姜末、精盐、五香粉、泡打粉、料酒、味精、酱油、香油、植物油各适量。

制作步骤

① 老鸡洗净，切块，入清水中煮3小时，取出老鸡，下入肉皮续煮6小时，待凉成冻，切碎后装盆。

② 牛肉洗净，剁成末，装入盆中，再加入精盐、味精、酱油、五香粉、香油、料酒、葱、姜调成馅料。

③ 面粉、泡打粉加清水和成面团，饧好，搓成条，下成面剂，擀成皮，包入馅料，捏成饺子生坯。

④ 锅中刷油，放入饺子生坯上火烧热，淋入清水，盖严盖，焖烧5分钟，待底部呈金黄色，取出即成。

油煎
咸香软嫩

驴肉馅水饺

原料 面粉500克，驴肉馅、猪肉馅各200克，芹菜300克。

调料 葱末、姜末、胡椒粉、香油各少许，精盐、味精各1小匙，生抽1大匙，高汤1杯。

制作步骤

① 将面粉加入清水调和均匀，揉成面团，稍饧。

② 将芹菜择洗干净，用沸水烫透，捞出投凉，切末，挤净水分，加入其他馅料及调味料，搅匀成馅。

③ 将面团搓成条状，每10克下一个面剂，擀成圆皮，包入馅料，用两手捏合成饺子状，下入沸水锅中煮至熟透，捞出装盘即可。

玻璃蒸饺

原料 马铃薯500克，羊肉末150克。

调料 葱末、姜末各5克，精盐1/2小匙，味精、胡椒粉各少许，淀粉3大匙，羊肉汤2大匙。

制作步骤

① 马铃薯蒸熟去皮，捣成泥，加入淀粉揉成团。

② 再搓成小条，揪成鸡蛋黄大小的剂子按扁，擀成圆薄皮。

③ 羊肉末内加入精盐、羊肉汤顺一个方向搅匀上劲，再放入胡椒粉、味精、葱末、姜末拌匀成馅。

④ 用擀好的皮包入馅捏成饺子坯，入蒸锅蒸25分钟至熟取出即成。

水煮
咸鲜嫩滑

锅蒸
软滑清香

什锦包子

原料 面粉300克，酵面200克，花生仁、松子仁、核桃仁、葡萄干、桃脯、苹果脯、山楂糕各30克，青、红丝25克，熟芝麻20克，糖桂花15克。

调料 碱水少许，香油2小匙，白糖100克。

制作步骤

① 将面粉、酵面用温水和成面团，再加入碱水揉匀，静置发酵。

② 花生仁、松子仁、核桃仁、果脯等均切成末，加入白糖、熟芝麻、糖桂花、香油调成什锦馅。

③ 将面团搓条、下剂、擀成圆皮，包入什锦馅，收口朝下，入锅用旺火蒸15分钟，取出装盘即成。

荞面灌汤包

原料 荞麦面500克，猪肉300克。

调料 葱花、姜末、精盐、味精、香油、调味粉各适量，酱油3大匙，浓鸡汤350克。

制作步骤

① 将猪肉洗净，剁成末，加入酱油、味精、精盐、姜末、调味粉拌匀，再分次加入鸡汤顺一个方向搅至上劲，待肉馅成稀糊状，放入葱花、香油搅匀。

② 将荞麦面用温水和好、揉透、揉匀，搓成长条，揪成40个剂子，按扁，擀成圆薄皮，抹上馅，提褶捏成包子，收口不要捏死，留一小口待用。

③ 将包子放进笼屉内，用旺火蒸10分钟至熟，取出即可食用。

蚝皇餐包

原料 发酵面团750克，叉烧肉块300克。

调料 胡椒粉1/2小匙，白糖、蚝油各2大匙，白酱油1大匙，酱油、香油各1小匙，食用碱水少许，水淀粉、熟猪油各3大匙。

制作步骤

① 锅中加入适量清水、酱油、白酱油、熟猪油、蚝油、白糖、胡椒粉烧沸，用水淀粉勾芡，倒入盆中晾凉成酱油卤汁，再加入香油，放入叉烧肉块拌匀成馅料。

② 将发酵面团加入碱水揉匀，搓条、下剂，包入馅料捏成包子形，上笼蒸15分钟，取出装盘即成。

三鲜锅烙

原料 面粉200克，韭菜300克，鸡蛋4个，虾仁150克。

调料 精盐、味精、胡椒粉、香油、植物油各适量。

制作步骤

1. 将虾仁挑除沙线，洗净；鸡蛋打散炒熟；韭菜择洗干净，切末；上述原料加入少许精盐、味精、胡椒粉、香油拌匀，制成馅料。

2. 面粉加清水、精盐揉成面团，稍饧，搓成条状，下成面剂，擀成圆皮，包入馅料，封口制成锅烙。

3. 平锅加油烧热，放入锅烙煎至金黄色，中途淋两次温水，盖严盖，焖至熟透，出锅装盘即可。

锅烙
鲜香脆嫩

锅蒸
咸香软糯

锅蒸
鲜香适口

小笼灌汤包

原料 面粉500克，猪肉馅350克。

调料 姜末、香油各少许，精盐、味精各1/3小匙，酱油、面酱各1大匙，鸡汤1/2杯，皮冻适量。

制作步骤

1. 将面粉加入温水和成水调面团，揉匀，稍饧。

2. 将猪肉馅加入酱油、面酱、精盐、味精、鲜鸡汤、皮冻、姜末、香油搅拌均匀，制成馅料。

3. 将面团搓成长条，每50克下3个面剂，擀成皮，包入馅料，边包边捏褶，收口处呈"金鱼嘴"状，放入小笼中，上屉用旺火蒸8分钟即可。

玉米面饺子

原料 玉米粉、白面各250克，猪肉馅300克，东北酸菜200克。

调料 葱末、姜末、胡椒粉、香油各少许，生抽、腐乳汁各1大匙，精盐、味精各1小匙。

制作步骤

1. 玉米面加入白面拌匀，用沸水烫透揉成烫面团。

2. 将酸菜洗净、剁碎，挤干水分，再加入猪肉馅、葱末、姜末、精盐、味精、生抽、腐乳汁、胡椒粉、香油拌匀，制成馅料。

3. 将烫面团搓成条状，每25克下1个面剂，擀成圆皮，包入馅料，捏严封口，包成"半月形"饺子状，再上屉蒸8分钟，即可取出装盘。

锅蒸
咸鲜绵软

牛肉萝卜包子

原料 面粉750克，牛肉、萝卜各400克，泡打粉15克。

调料 姜末、葱末、精盐、十三香粉、味精、料酒、酱油、鸡汤、熟猪油、香油各适量。

制作步骤

1. 萝卜洗净，切成丝，用精盐略腌，挤水，切成末。
2. 牛肉洗净，剁成末，分次加入料酒、酱油、鸡汤、精盐、味精、十三香粉、葱末、姜末、熟猪油、香油搅匀，再放入萝卜末拌匀成馅。
3. 面粉中加泡打粉拌匀，用温水和成面团，略饧。
4. 搓成长条，揪成剂子，擀成圆皮，包入馅捏成包子坯，摆入蒸锅内，用旺火蒸熟，取出即成。

锅蒸
咸香软糯

莜面瓜丝蒸饺

原料 莜面500克，猪肉500克，瓜丝250克。

调料 葱花、姜末、精盐、味精、料酒、五香粉、酱油、香油各适量。

制作步骤

1. 莜面加入适量开水和匀揉透，用湿布盖严，饧好。
2. 猪肉洗净，剁成泥；瓜丝洗净，剁成末，挤干水分，与猪肉泥一起放入盆中，加入酱油、精盐、味精、料酒、五香粉、葱、姜、香油和清水拌成馅心。
3. 将面团搓成条，下成剂子，压扁，擀成圆皮，包上馅心，捏严，并搓成花边状，制成饺子生坯。
4. 坐锅点火，加水烧沸，将饺子码在屉内，上笼蒸12分钟至熟，取出即可食用。

油煎
鲜香绵软

羊肉小煎包

原料 发酵面团150克，羊肉50克。

调料 葱末10克，精盐2小匙，酱油1小匙，味精少许，植物油2小匙。

制作步骤

1. 将羊肉斩成末，放入碗内，加入精盐、酱油、葱末、味精和少许清水，搅匀成馅料。
2. 将发酵面团放在案板上，揉搓成长条，揪成6个面剂，然后按扁成面皮，包入馅料，捏严收口。
3. 将平底锅烧热，加入植物油，把包子放入，煎至两面金黄发脆，熟透，出锅即成。

水煮
鲜香软滑

黄金汤饺

原料 细玉米面400克，高筋面粉100克，猪肉馅300克，韭菜末150克，菠菜叶20克，紫菜5克。

调料 葱花、精盐、鸡精、味精、五香粉、淀粉、料酒、姜汁、香油、酱油、植物油、鸡汤各适量。

制作步骤

❶ 猪肉馅、韭菜末、葱花、料酒、姜汁、酱油、精盐、味精、五香粉、植物油搅匀，制成馅料。

❷ 玉米面、淀粉、面粉用温水加精盐和成面团，搓成条，揪成剂子，擀成皮，包入馅料，捏成饺子。

❸ 锅中加入鸡汤、鸡精和余下的料酒、酱油、精盐烧开，再放入紫菜，下入饺子煮至略熟，然后放入菠菜叶略煮，盛入汤碗，淋入香油即可。

荞麦面蒸饺

原料 荞麦面300克，高筋面粉100克，猪瘦肉400克，芹菜、茄子、青椒各75克。

调料 葱末、姜末各10克，料酒、酱油、精盐、味精、十三香粉、泡打粉、高汤、香油各适量。

制作步骤

❶ 荞麦面、高筋面粉各一半放入容器内拌匀，加开水烫搅匀，再加凉水和剩下的另一半面和成面团，略饧。

❷ 芹菜、青椒均成末，挤去水分；茄子去皮，切成

末，挤去水分；猪瘦肉剁成细末；猪肉末内加入所有调料搅匀上劲，再加入配料拌匀成馅料。

❸ 面团搓成长条，揪成剂子，擀成薄皮，包入馅料，捏成饺子坯，摆入蒸锅内，用旺火蒸15分钟至熟，取出即成。

锅蒸
软嫩咸香

南翔包子

锅蒸 香甜绵软

原料 面粉500克，猪肉200克，肉皮冻粒60克。

调料 白糖1小匙，酱油、味精各适量，香油1大匙，植物油少许。

制作步骤

① 将猪肉洗净，斩成细粒，加入酱油、白糖、味精和适量清水搅至酱油和清水彻底渗透入肉中，再加入香油、肉皮冻搅拌至有黏性，制成馅料。

② 将面粉放入盆中，加入清水拌和成团，反复揉至面团光滑，在案板上涂少许植物油，再将面团搓成圆形长条，下成24个剂子。

③ 将剂子压扁，包入肉馅，捏成20个褶纹，包拢收口，入笼蒸至馒头内部鼓气胀起，取出即可。

锅蒸 鲜香软嫩

果仁包子

锅蒸 香甜软嫩

原料 面粉500克，老酵面150克，核桃仁、花生米、白果仁、瓜子仁各25克，芝麻10克，青红丝5克。

调料 猪板油丁50克，桂花酱1小匙，食用碱液2小匙，白糖150克。

制作步骤

① 将面粉放入盆内加适量水及老酵面，发酵后再加食用碱液揉好，加白糖25克揉匀。

② 将核桃仁、花生米、白果仁切成如黄豆大小的粒，与芝麻、瓜子仁、猪板油丁、桂花酱、青红丝等拌成馅。

③ 将揉好的面团搓成长条，揪20个面剂，擀成面皮，包进馅成包子生坯，入笼蒸约15分钟至熟。

淮阴汤包

原料 精面粉500克，猪肥瘦肉60克，鸡胸肉130克，面肥50克，猪皮80克，食用碱5克。

调料 姜末、葱姜汁、料酒、酱油、芝麻粉、香油、白糖、鲜汤、熟猪油各适量。

制作步骤

① 精面粉加入面肥、温水揉成面团，待发酵；猪皮刮洗干净，加入料酒、姜末、清水煮约70分钟，出锅冷凝成肉皮冻，切成小粒。

② 猪肉、鸡肉洗净，切末，加入香油、酱油、白糖、料酒、芝麻粉、姜葱汁、鲜汤、皮冻拌匀成馅心。

③ 食用碱用温水溶化，放入面团中揉匀，稍饧，搓成条，揪成剂子，包入馅心成生坯，入锅蒸熟即成。

第7天
特色小吃这样做

豆面小窝头

锅蒸
暄软香甜

原料 玉米面500克，黄豆面250克，小苏打5克。

调料 白糖100克。

准备工作

❶小苏打放入碗内，加入少许温水搅拌至溶化，过滤去杂质。

❷取100克玉米面放入盆中，倒入开水搅匀成烫面，再加入余下的玉米面、黄豆面、小苏打水及适量清水拌匀。

❸加入白糖揉匀成硬面团，盖上湿布，稍饧。

制作步骤

❶饧好的面团每50克下一个面剂，放在案板上揉成圆锥状。

❷在底部边搓边捏出一孔，洞深约为4厘米，制成窝头生坯。

❸取箅子，放入浸湿的屉布，再把窝头码在上面。

❹蒸锅加适量清水烧沸，放入窝头，用旺火蒸20分钟至熟即成。

原 料 糯米粉500克，玉米粒、红枣各250克，澄面100克，面粉50克，朱古力彩针少许。

调 料 白糖250克，熟猪油200克。

准备工作

❶ 糯米粉、澄面放入盆内，加入白糖、熟猪油、清水拌匀，揉透成面团，稍饧10分钟。

❷ 玉米粒洗净，用沸水煮熟，捞出沥水。

❸ 红枣洗净，去核，放入蒸锅蒸熟，取出晾凉，去掉果皮，再放入烧热的油锅内煸炒。

❹ 加入白糖100克炒沸，放入面粉用中火翻炒均匀成枣泥馅。

制作步骤

❶ 面团搓成条状，每15克下1个面剂，压扁后包入蜜枣馅搓圆。

❷ 蒸锅加清水烧沸，放入生坯用旺火蒸8分钟至熟透，取出。

❸ 趁热滚沾上朱古力彩针，再粘上少许熟玉米粒，装盘即可。

金豆糕 锅蒸 香甜黏软

原料 糯米粉1500克，澄面、腰果、椰蓉各500克。

调料 白糖、熟猪油各500克。

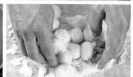

准备工作

❶腰果洗净，放入热油锅内炸至米黄色，捞出晾凉，捣成碎粒。

❷锅中加熟猪油、白糖、腰果煸炒浓成腰果蓉。

❸糯米粉放入盆内，加入剩余熟猪油和匀，揉成糯米团，稍饧。

❹澄面放另一盆内，倒入沸水烫熟，揉成澄面团。

❺澄面团和糯米团放在一起，加入剩余白糖和适量清水揉匀。

制作步骤

❶面团搓长条，每15克下一个面剂；腰果蓉搓细条，下成馅剂。

❷取面剂压扁，中间包入馅剂，收口搓圆成汤圆生坯。

❸锅中加水烧沸，放入汤圆，用小火煮至浮起且熟。

❹捞出沥水，滚沾上一层椰蓉，码放在盘内即可。

椰味小汤圆

滑炒
软嫩香甜

黏豆包

（锅蒸 香甜黏软）

原料 黄米面、红小豆各500克，玉米面、苏子叶各150克。

调料 白糖150克。

准备工作

❶ 红豆洗净，放入清水锅中煮至熟烂，取出后放入容器内捣烂成泥，加入白糖拌匀成馅料。

❷ 黄米面、玉米面加入热水和成面团，盖上盖，置温热处发酵12小时成发酵面团，取出揉匀。

❸ 揉成长条状，揪成面剂，放在手掌上，压成圆饼状，包入豆沙馅，封口后团成豆包生坯。

制作步骤

❶ 苏子叶铺在笼屉上，整齐的码入豆包生坯，稍饧10分钟，放入蒸锅。

❷ 蒸锅置旺火上，蒸约30分钟至豆包熟透，取出晾凉，与白糖一同上桌蘸食即可。

原料 面粉、猪五花肉各500克,生菜叶100克,红干椒段25克,酵母粉10克。

调料 葱丝、姜末、胡椒粉各少许,精盐、味精、白糖、甜面酱、料酒、植物油各适量。

准备工作

❶酵母粉加水搅至溶化,倒入面粉内,加入精盐揉匀成面团,饧发30分钟成发酵面团。

❷锅中加油烧热,下入葱丝、姜末炒出香味。

❸放入猪肉末煸炒出水分,烹入料酒,放入甜面酱炒至上色。

❹加入精盐、白糖、味精、干椒段、胡椒粉炒至入味,盛出。

制作步骤

❶发酵面团搓成长条,每100克下一个面剂,再揉成小圆饼。

❷平锅刷油烧热,放入小圆饼烙至两面呈浅黄色时取出。

❸放在烤盘上,放入预热的烤箱中烘烤5分钟至表皮酥脆。

❹取出圆饼,用刀片开3/4,铺上生菜,夹入炒好的肉馅即可。

山西肉夹馍
烘烤
酱香浓醇

麻团 油炸 酥香甜鲜

原 料 糯米粉、豆沙馅各500克,小麦淀粉100克,芝麻50克。

调 料 白糖3大匙,熟猪油5大匙。

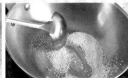
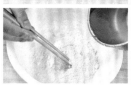

准备工作

❶ 豆沙馅加入少许糯米粉搓匀,下成每个15克的馅心。

❷ 芝麻洗净,放入锅内焙炒至熟香,取出晾凉。

❸ 小麦淀粉放入盆内,倒入适量沸水搅成浓糊状。

❹ 再加入糯米粉、白糖、熟猪油调匀,揉搓均匀成面团,稍饧。

制作步骤

❶ 面团搓成长条,每25克下一个面剂,用擀面杖擀成圆饼状。

❷ 放人一个馅心,包好封口,揉搓成小圆球。

❸ 芝麻放在案板上,将圆球沾上清水,滚匀芝麻。

❹ 锅中加入植物油烧热,下入麻团沿锅底轻轻推动。

❺ 炸至麻团膨胀浮起、呈金黄色时,捞出沥油,装盘即成。

京都肉饼 油煎 咸鲜酥香

原料 中筋面粉500克，猪五花肉300克，小葱200克，花生米150克。

调料 姜末、胡椒粉各少许，精盐、味精、豉椒、生抽、料酒、香油、植物油各适量。

准备工作

❶面粉用温水调成面团，盖严湿布，饧30分钟。

❷花生米用热油炸熟，捞出晾凉，剥去外皮，压成碎粒。

❸小葱去根、洗净，切成碎粒；豉椒剁碎；猪五花肉去筋膜，洗净，剁成肉蓉。

❹放入葱、姜、花生、豉椒拌匀，加入香油搅匀成馅料。

制作步骤

❶面团搓条，每200克下1个面剂，用擀面杖擀成圆形薄饼，一半均匀地涂抹涂抹上调好的肉馅。

❷另一半饼皮盖在上面，呈半圆形，再对折成扇形，压出花边。

❸平锅刷上少许植物油烧热，放入肉饼煎至两面呈黄色。

❹再稍煎至面饼熟透呈金黄色，取出切成大块，装盘即可。

原 料 牛腩肉500克，中筋面粉250克，芹菜200克。

调 料 葱花10克，姜末少许，精盐1小匙，味精、花椒粉各1/3小匙，熟油2大匙，植物油适量。

准备工作

❶面粉过细罗，倒入盆中，加入适量温开水揉匀成面团。

❷芹菜择洗干净，切成细末，挤干水分，放入沸水中焯烫一下，捞出沥水。

❸牛腩肉放入淡盐水中浸泡并洗净，捞出沥水，剁成肉末。

❹放入大碗内，加入精盐拌匀上劲，再放入芹菜末调拌均匀。

制作步骤

❶面团分成小块，取一块面团搓成长条，每25克下一个面剂。

❷放在案板上，撒上少许面粉，擀成圆形面皮。

❸中间放入牛肉馅，包好后压扁，封口朝下，擀成圆饼。

❹平锅加油烧至六成热，放入馅饼烙至金黄色、熟透时即可。

海城馅饼 油煎
咸鲜酥香

盘丝饼

原料 面粉300克,食用碱、青红丝各少许。

调料 精盐少许,香油、白糖各100克,植物油3大匙。

制作步骤

❶ 将面粉放入盆中,加入精盐和适量清水和成面团,略饧一会儿,再揉一次,然后加入碱揉匀,再饧约30分钟。

❷ 将饧好的面抻成细丝面条,再刷上油,切成10块,每块抻长盘成饼形。

❸ 平底锅内加入植物油、香油烧至七成热,放入盘丝饼,用慢火烙熟至两面呈金黄色,取出一拍,撒上白糖、青红丝,即可装盘上桌。

麻香馅饼

原料 面粉350克,黑芝麻200克,果脯100克,鸡蛋1个。

调料 白糖5大匙,熟猪油3大匙,香油2大匙。

制作步骤

❶ 面粉加入熟猪油20克及清水和成面团略饧。

❷ 黑芝麻擀碎;果脯切成末;黑芝麻粉内加入白糖、果脯、余下的熟猪油、面粉拌匀成馅料。

❸ 面团搓成条,揪成剂子,按扁包入馅,封口捏严,按成圆饼坯。

❹ 饼坯两面刷上蛋液,粘匀余下的黑芝麻,摆入抹有香油的烤盘内,放入烤箱,烤至熟透,取出装盘即成。

风味夹肉饼

原料 中筋面粉500克,猪肉馅250克。

调料 葱末250克,姜末5克,精盐、味精各1小匙,鲜汤120克,植物油200克。

制作步骤

❶ 将中筋面粉加入清水调匀,揉成面团,用湿布盖严,饧30分钟;猪肉馅加鲜汤调好,再加入葱末、姜末和精盐、味精搅匀,制成馅料。

❷ 将面团分成两块,分别擀成长方形,再将馅料平铺在两块面皮上,分别由左至右叠成4层,然后将两边压紧合严。

❸ 平锅加油烧热,下入饼坯烙至两面呈金黄色、熟透,出锅后改刀切块,装盘上桌即可。

黑米面馒头

原料 黑香米粉500克，红枣100克。
调料 白糖、桂花糖、黄豆面、泡打粉各适量。

制作步骤

① 黑香米粉、白糖、桂花糖、泡打粉、黄豆面拌匀，加入温水揉成面团，搓成粗条，再揪成剂子。

② 取一个剂子揉捏均匀，再用搓成圆球，用手食指在圆球中间按一个坑，边按边转动手指。

③ 同时以左手拇指根部并用中指协助捏拢，形成上小下大的圆锥形，至表面光滑时摆在笼屉内，在顶尖上嵌入一粒洗净的红枣，入蒸锅用旺火蒸约15分钟至熟，取出即成。

锅蒸
香甜暄软

菜肉暄饼

原料 面粉500克，猪肉丁750克，韭菜末50克。
调料 葱末50克，花椒盐1/2大匙，香油1大匙，植物油100克。

制作步骤

① 将面粉放入盘内，加入适量清水和好；猪肉丁、葱末、韭菜末、肉丁、花椒盐、香油拌匀成馅料。

② 将和好的面分成5份，逐个擀成三角形面皮，再放上馅料，卷起后用双手一拧，然后擀成面饼。

③ 将饼放在鏊子里烙呈黄色后取出，在饼鏊里放一层干净的碎瓦块或石子，把饼放在上面，在饼上刷一层植物油，盖好盖，通过碎瓦块或石子传热烘烤面饼至熟透，共翻4次，取出即成。

烘烤
咸鲜软嫩

牛肉花卷

原料 面粉500克，牛肉300克，泡打粉10克。
调料 葱末、姜末各10克，精盐、十三香粉、酱油、料酒、香油、植物油各适量。

制作步骤

① 牛肉洗净，剁成肉蓉，加入葱末、姜末、酱油、料酒、精盐、十三香粉、植物油、香油调成馅料。

② 面粉放入泡打粉拌匀，再加入适量温水和成面团，稍饧后擀成大片。

③ 馅料倒在面片上抹匀，相对折叠，切成小成条，再抻长卷起，制成花卷生坯，然后放入蒸锅旺火蒸约15分钟至熟，即可出锅装盘。

锅蒸
咸鲜绵软

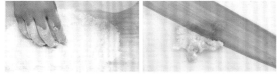

传统打糕

原料 糯米1000克，红小豆、黄豆各400克。

调料 白糖100克。

制作步骤

1 将红小豆淘洗干净，放入水锅中煮至熟烂，捞出沥干，放入锅内，加入白糖炒成豆沙粉。

2 黄豆洗净，放入炒锅内炒熟出香味，出锅，磨碎成粉，筛成细豆面。

3 糯米淘洗干净，浸泡10小时，蒸锅内铺上屉布，待锅内上汽时，将糯米摆在屉布上，盖严锅盖，用大火蒸约20分钟取出。

4 放在木槽上，用木桩打成细泥成团，再打成粘糕，然后切成条块，裹上熟豆面和豆沙粉即成。

康园肉饼

原料 面粉500克，羊肉200克。

调料 葱末50克，精盐、鸡精、胡椒粉、酱油、香油、植物油各适量。

制作步骤

1 将面粉400克盛入盆内，加入清水和成面团。

2 将羊肉洗净，剁成肉蓉，加入精盐、胡椒粉、酱油、鸡精、香油、葱末拌成肉馅。

3 将面团拉成长面皮，抹匀肉馅，从左至右折叠3层，撒上扑面，再从右至左折叠成形。

4 平锅置火上烧热，加入少许植物油滑匀，放入肉饼烙熟，再刷上少许香油，出锅装盘即可。

广式老婆饼

原料 中筋面粉500克,低筋面粉250克,高筋面粉少许,青、红果脯粒、熟芝麻各50克,瓜子仁、核桃仁各150克,松仁、花生仁各100克,鸡蛋液适量。

调料 白糖250克,熟猪油130克。

制作步骤

❶ 将中筋面粉加入清水300克,调和成面团,饧约20分钟;低筋面粉加入熟猪油调和成油酥。

❷ 将面团、油酥搓成长条,下成面剂,用面皮包入油酥,擀成皮;青、红果脯、熟芝麻、瓜子、核桃、松仁、花生加入白糖、高筋面粉搅成"五仁果脯馅"。

❸ 将油酥皮包入馅料,封口后压成饼,刷上蛋液,撒上芝麻,放入烤箱中,以220℃烘烤20分钟即可。

烘烤
香甜适口

牛柳银芽炒饼

原料 熟大饼200克,牛柳300克,银芽150克,青椒丝、红辣椒丝各50克。

调料 胡椒粉少许,精盐、味精各1/3小匙,香油1/2大匙,蚝油1小匙。

制作步骤

❶ 将牛柳洗净、切丝,上浆后用温油滑透;银芽、青椒丝、红辣椒丝均下入沸水中焯烫一下,捞出沥干;熟大饼切条。

❷ 锅中留底油烧热,下入牛柳丝、饼条略炒,再放入蚝油、精盐、味精、香油、胡椒粉,加入银芽、青椒丝、红辣椒丝炒匀,出锅装盘即可。

合面菇香团子

原料 玉米面350克,面粉100克,黄豆面50克,鸡肉300克,香菇末150克。

调料 葱、姜末各20克,料酒1大匙,泡打粉、精盐、味精、胡椒粉、五香粉、鸡汤、香油各适量。

制作步骤

❶ 将玉米面、面粉、黄豆面、泡打粉放入同一容器内拌匀,加温水和成面团。

❷ 鸡肉洗净,切末,加入五香粉、胡椒粉、葱、姜、鸡汤、料酒、精盐、味精、香菇、香油拌匀成馅。

❸ 面团搓成条,揪成剂子,擀扁后包入馅料,封口后团成球状,摆入蒸锅内蒸熟,取出即成。

锅蒸
软嫩咸鲜

熟炒
咸香软嫩

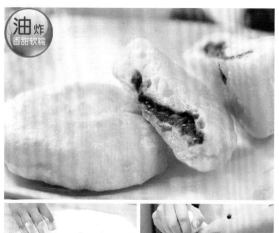

油炸
香甜软糯

煎豆沙饼

原料 面粉500克，豆沙馅500克，泡打粉2小匙，油300克。

调料 植物油适量。

制作步骤

① 面粉加入泡打粉搅拌均匀，再加入温水和成软面团，略饧一会儿。

② 将饧好的面团搓成长条，揪成10个大小均匀的剂子，按扁后放上豆沙馅，封口捏严成圆球状，再按成圆饼坯。

③ 平底锅内加油烧热，放入豆沙饼坯，用小火煎炸至熟、两面呈金黄色，出锅装盘即成。

油炸
咸鲜软嫩

潮式黄金饼

原料 中筋面粉500克，南乳汁30克，酵母粉、泡打粉各10克，火腿粒400克，猪肉粒200克，熟花生碎150克，冬菇粒、西芹粒各100克，芝麻适量。

调料 精盐、味精、五香粉、胡椒粉、香油各适量。

制作步骤

① 将中筋面粉加入南乳汁、酵母粉、泡打粉及清水和成发酵面团，用湿布盖严，饧1小时。

② 锅中加油烧热，放入肉粒爆香，再加入火腿、花生碎、冬菇、西芹、精盐、味精、五香粉、胡椒粉、香油炒匀，制成馅料。

③ 面团搓成条，下成面剂，包入馅料，蘸匀芝麻，饧30分钟，上屉蒸12分钟，取出用热油炸至金黄即成。

蹄花卷

原料 自发酵面团250克，青、红丝少许。

调料 香油20克，食用碱水4克。

制作步骤

① 发酵面团用食用碱水揉匀，揪成10个面剂，揿平，用擀面杖擀成直径7厘米左右的面皮，一半涂油，撒上青、红丝对折，另一半再涂油，撒上青、红丝。

② 然后对折成90°扇形，用快刀在尖头处顺中心2/3处切开，再将两边向后翻转，捏拢捏紧向下放，刀口翻出，做成形似猪蹄的生坯。

③ 整齐地码入锅中，入笼蒸熟，取出即成。

锅蒸
咸香暄软

家常饼

原料 中筋面粉500克。

调料 精盐、味精各1小匙, 胡椒粉少许, 植物油100克。

制作步骤

1 中筋面粉50克加入植物油50克, 和成清油酥。

2 中筋面粉450克加入清水300克、植物油50克及精盐、味精、胡椒粉, 揉成面团, 饧20分钟。

3 将面团揉匀后搓成长条, 每200克下一个面剂, 擀成长方形, 抹上清油酥, 叠成3层, 再从一端卷起, 擀成圆形饼状。

4 平锅上火烧热, 淋入植物油, 下入家常饼烙至两面金黄色、熟透, 即可装盘上桌。

锅烙
咸鲜软嫩

熟炒
咸鲜适口

锅烙
咸鲜软糯

家常筋饼

原料 高筋面粉500克, 清油酥适量。

调料 精盐少许, 植物油3大匙。

制作步骤

1 将面粉加入温水、精盐调匀, 揉成面团, 再用湿布盖严, 饧20分钟, 然后将面团搓成条, 分成5个剂子, 稍饧。

2 将面剂擀成长方形薄饼, 抹上油酥, 叠成4层, 捏住两端抻长, 再从左至右叠成梯形, 轻轻下按, 擀成直径40厘米的薄饼。

3 坐锅点火, 刷上植物油, 放入筋饼烙至两面金黄色、蓬松, 即可取出装盘。

猪肉炒饼

原料 面粉150克, 猪肉100克, 青菜、红椒各50克。

调料 葱片、姜片各15克, 精盐、味精、白糖、料酒、鲜汤、香油、植物油各适量。

制作步骤

1 面粉内加精盐1克及适量温水和成略软的面团, 分成两个剂子, 擀成圆饼坯。

2 平底锅内刷上油烧热, 放入饼坯, 烙至两面呈金黄色至熟时取出, 切成菱形片; 红椒洗净, 切成片; 猪肉洗净, 切片; 青菜洗净, 切成段。

3 锅内加油烧热, 下入葱片、姜片略炒, 下入肉片炒熟, 再下入饼片及余下的调料炒匀, 下入红椒片、青菜段炒熟, 出锅装盘即成。

锅蒸
香甜绵软

甜花卷

原料 面粉500克。

调料 白糖3大匙，泡打粉2小匙，植物油4大匙。

制作步骤

❶ 将面粉内放入容器中，加入泡打粉搅拌均匀。

❷ 将白糖放在热水中溶化，倒入面粉中和成软面团略饧。

❸ 面团擀成大片，抹上一层植物油，面片相对折叠，切成条，将3根面条放在一起，用手捏住两头卷成花卷，放入蒸锅内，用旺火蒸15分钟至熟，取出即成。

油炸
咸香软嫩

六凤居葱油饼

原料 面粉500克。

调料 葱末150克，精盐、植物油各适量。

制作步骤

❶ 将面粉放入盆中，加入植物油100克、温水100克和匀，揉搓成光洁面团，静置15分钟。

❷ 取1/3的面团，放在抹有油的面板上，揉圆后按扁，擀成圆面皮，撒上精盐、葱末、横卷成长条，再直卷成团状；另将余下的面团揉圆后按扁，擀成圆面片，包入葱面团，捏成馒头，再按扁，擀成饼。

❸ 锅中加油烧热，放入油饼生坯，中间戳个小洞，用长竹片转动油饼，待炸至两面金黄、中间起层时，取出沥油，切成三角形饼，装盘上桌即可。

锅蒸
甜香软嫩

荷叶饼

原料 中筋面粉500克，酵母粉15克。

调料 白糖3大匙，熟猪油1大匙，植物油2大匙。

制作步骤

❶ 将面粉放入容器中，加入白糖、酵母粉、熟猪油和匀成面团，稍饧10分钟。

❷ 将面团放在案板上，擀成长方形面皮，再用小碗扣成圆形饼皮。

❸ 在饼皮的表面刷上一层油，再对折成半圆形，然后在上面剞上井字花刀，用湿布盖严，饧45分钟，再入笼蒸8分钟至熟，取出装盘即可。

油煎
鲜香适口

牡蛎煎饼

原料 中筋面粉150克, 鸡蛋3个, 牡蛎肉100克。

调料 香葱末50克, 精盐、味精各1/3小匙, 胡椒粉适量, 香油1/2小匙, 植物油3大匙。

制作步骤

1. 将面粉加鸡蛋液调匀; 牡蛎肉洗净, 下入沸水中焯烫一下, 捞出沥干, 再加入精盐、味精、香油、胡椒粉、香葱末拌匀, 与鸡蛋面合拌在一起。

2. 炒锅上火, 加适量植物油烧至六成热, 下入牡蛎面饼, 用小火煎至两面呈金黄色、熟透, 即可出锅装盘。

白筋饼

原料 面粉600克。

调料 熟猪油75克, 香油20克。

制作步骤

1. 面粉加入开水烫好, 再加入熟猪油揉匀成面团, 略饧。

2. 面团揉匀, 分成小面团, 搓成长条, 分成10个大小均匀的小剂子, 蘸匀香油。

3. 余下面团搓成长条, 揪成10个大小一致的剂子按扁, 包入一块蘸香油的剂子, 包严。

4. 平底锅上火烧热, 包好的饼剂擀成大圆饼坯, 放入平底锅内烙制, 不刷油, 见饼两面出芝麻花点、鼓起时即熟, 出锅装盘即成。

锅烙
软嫩鲜香

寿桃

锅蒸 香甜绵软

原料 面粉500克,酵母粉10克,枣泥馅200克。

调料 白糖3大匙,食用色素少许。

制作步骤

❶ 将面粉中加入清水、酵母粉、白糖调匀,揉成发面团,再用湿布盖严,稍饧。

❷ 将发面团搓成条状,每25克下一个面剂,擀成圆形面皮,包入枣泥馅,封口朝下,捏成"寿桃"形状。

❸ 饧约30分钟,再上屉蒸5分钟至熟,取出后按桃子原型刷上食用色素即可。

椒香花卷

锅蒸 咸香绵软

原料 面粉500克。

调料 泡打粉2小匙,精盐、十三香粉各1/5小匙,植物油2大匙。

制作步骤

❶ 面粉中加入泡打粉拌匀,再加入适量温水和成软硬适度的面团,饧约10分钟。

❷ 面团放在案板上,擀成大薄片,刷上一层油,撒上精盐、十三香粉抹匀。

❸ 再由外向里卷叠三层,切成条状,用手拧成花卷坯,摆入蒸锅内,用旺火蒸约15分钟至熟,取出即成。

香菜肉粒夹饼

原料 中筋面粉500克,酵母粉10克,酱肉400克,香菜末200克。

调料 葱花少许,味精1/3小匙,酱汤200毫升,胡椒粉、香油各适量。

制作步骤

❶ 中筋面粉加入酵母粉及清水调和成发面团,饧40分钟;酱肉切粒,加入酱汤、味精、胡椒粉、香油,上火烧沸,再加入香菜末、葱花调和成馅。

❷ 将发面团搓成长条,每50克下一个面剂,揉成饼状,再饧20分钟,下入平锅中煎至熟透后出锅。

❸ 将饼从平面中间切成夹刀片,夹入调和好的香菜肉粒即可。

油煎 咸鲜软嫩

葡萄干蒸糕

原料 面粉200克，玉米面100克，葡萄干50克，核桃仁、枸杞子各15克，鸡蛋3个。

调料 白糖50克，发酵粉6克。

制作步骤

❶ 将面粉、玉米面一同放入容器内拌匀。

❷ 鸡蛋搅散，倒入面粉内，加入清水、白糖搅匀成糊，再放入发酵粉及葡萄干25克搅匀成面糊。

❸ 面糊倒在抹过油的方盒内，在上面再撒入葡萄干、核桃仁、枸杞子。

❹ 方盒放入蒸锅内，用旺火蒸约20分钟至熟，取出切块，装盘即成。

锅蒸 香甜绵软

油炸 香甜酥脆

芙蓉香蕉饼

原料 糯米粉500克，面包糠、奶皇馅各200克，香蕉、鸡蛋液、熟澄面各150克。

调料 白糖150克，熟猪油3大匙，植物油适量。

制作步骤

❶ 将糯米粉加入熟澄面、白糖、熟猪油及适量清水调匀，揉成面团，饧30分钟。

❷ 将香蕉去皮，切成小粒，放入奶皇馅中搅匀。

❸ 将面团搓成长条，每25克下一个面剂，包入奶皇馅，裹蛋液、沾面包糠，搓成圆锥形，稍用力压扁、压实，再下入三成热的油中炸至呈淡黄色，见浮起，捞出装盘即可。

红豆凉糕

原料 糯米500克，红豆200克，熟面粉、熟芝麻仁各100克，熟瓜子仁、青、红丝、碎花生仁各25克。

调料 白糖200克，香精2克。

制作步骤

❶ 糯米洗净，用温水泡2小时；红豆磨成粉。

❷ 熟芝麻仁擀碎，放入白糖、瓜子仁、青红丝、香精、碎花生仁拌匀成馅。

❸ 泡好的糯米入锅干蒸至熟，取出后用木棒捣成细泥状成糯米团，放冰箱内冷藏1小时。

❹ 将糯米团放在撒有面粉的案板上，揉匀，搓条，揪成剂子，按扁后放入馅料包好，团成圆球，再按成圆饼，摆入盘内，放入冰箱内冷藏即成。

锅蒸 甜香软糯

锅烙
软嫩微甜

烙银丝饼

原料 面粉400克，酵面50克。

调料 食用碱、白糖、香油、熟猪油各适量。

制作步骤

1. 酵面放入容器内，加入温水、面粉和成面团，略饧，再加入白糖、食用碱揉匀。
2. 搓成条，用抻面的方法抻至松散，放在案板上。
3. 熟猪油和香油放在一起和匀，涂抹在面丝上，切成小段。
4. 将抻面剩下的面头揉好，揪成剂子，擀成椭圆形面皮，包入面丝段，卷好包严，饧10分钟。
5. 饼锅加热至180℃，下入银丝烙饼至熟透，捞出装盘即成。

冬瓜饼

原料 低筋面粉500克，鸡蛋3个，冬瓜300克，生菜50克，胡萝卜100克。

调料 精盐、味精各1/3小匙，香油1小匙，植物油适量。

制作步骤

1. 将面粉加入鸡蛋液、清水、精盐、味精、香油搅匀，过罗成粉浆。
2. 将冬瓜洗净、去皮，切丝；胡萝卜、生菜均洗净、切丝。一起放入粉浆中搅拌均匀。
3. 坐锅点火，刷上植物油，用手勺作量具，每1/2手勺粉浆烙一张冬瓜饼，用小火将两面煎呈金黄色即可。

油煎
软糯咸香

脆酥烤饼

原料 中筋面粉500克，低筋面粉250克，白芝麻15克。

调料 糖粉250克，熟猪油150克。

制作步骤

① 将中筋面粉加入热开水和冷水调成烫面面团；低筋面粉加入猪油调成油酥面团。

② 将烫面团包入油酥，擀成长方形，叠成3层，由上至下卷起，搓成长条形，每35克下一个面剂，分别包入糖粉，捏紧收口，修整成椭圆形，再以手指略微压扁，分别粘上白芝麻。

③ 烤盘抹油，排入烤饼，放烤箱内，以180℃烘烤20分钟，待表面略变色呈蓬松状，取出装盘即可。

烘烤
香甜酥脆

香煎鸡蛋饼

原料 低筋面粉、胡萝卜丝各50克，鸡蛋5个，三明治火腿100克。

调料 香葱、胡椒粉各少许，精盐、味精各1/3小匙，香油适量，植物油1大匙。

制作步骤

① 将鸡蛋磕入大碗中搅散；三明治火腿切粒；胡萝卜丝下入沸水中焯烫一下；香葱洗净，切末。

② 将上述材料加入低筋面粉和调味料一起搅拌均匀待用。

③ 炒锅上火烧热，加入底油，倒入调好的蛋液，用小火将两面煎呈金黄色、熟透，改刀装盘即可。

三鲜烩饼

原料 大饼200克，净虾、净海参、净螺片各50克，香菜叶8克。

调料 葱片、姜片、蒜片、精盐、味精、白糖、料酒、鲜汤、植物油各适量。

制作步骤

① 鲜虾洗净；海参切片；海螺切片；大饼切成1.5厘米宽、4厘米长的条片。

② 海参条片、海螺片下入沸水锅中略焯，捞出。

③ 锅中加油烧热，放入葱、姜、蒜炝香，再加入鲜汤、鲜虾、海参片、螺片烧沸，然后下入饼片烧开，加入所有调料烧透，出锅装碗，撒上香菜即成。

油煎
咸鲜软嫩

烧烩
咸香软嫩

枣泥山药饼

原料 山药250克，糯米粉100克，枣泥150克。

调料 白糖、糖桂花、植物油各适量。

制作步骤

❶ 山药去皮，洗净，放入锅内加水煮至酥烂，用刀碾成泥，放入碗中。

❷ 再加入白糖、糖桂花、糯米粉揉透，搓成长条，揪成10个面剂，包入枣泥，捏拢，收口向下，揿成圆饼生坯。

❸ 平底锅上火，加入植物油烧至五成热，将饼坯放入锅内，用小火煎成两面金黄色即可。

五彩开口糕

原料 低筋面粉400克，酵母粉15克，泡打粉30克，朱古力彩针适量。

调料 炼乳1罐，白糖150克。

制作步骤

❶ 将面粉加入炼乳、白糖、酵母粉及适量清水搅拌均匀，再放入泡打粉，揉搓和匀，用湿布盖严，发酵20分钟。

❷ 然后分别装入蛋糕纸杯内，在上面划上十字刀纹，再撒上朱古力彩针，上屉蒸12分钟即可。

蝴蝶花卷

原料 自发酵面团200克。

调料 香油5克，食用碱液3克。

制作步骤

❶ 将酵面吃好碱揉透，搓成小条，揪成10个面剂，逐一擀成直径7厘米左右、中厚边薄的圆皮子，涂上香油，对折成半圆形，用钝刀或新木梳在上面刻上条纹。

❷ 在半圆直径处中间用两个手指捏出尖头，捏成后同时用刀在圆弧处揿出三处凹痕，并将两翅尖向上合起，即成蝴蝶卷，入锅用旺火蒸至蝴蝶卷熟透，取出即成。

眉毛酥饼

原料 油皮、油酥各1份，猪肉丝200克，冬笋丝、木耳丝各100克，胡萝卜丝50克。

调料 葱丝50克，精盐、味精各1/3小匙，胡椒粉、香油、植物油各适量。

制作步骤

① 锅中加油烧热，下入肉丝炒至变色，再下入冬笋丝、木耳丝、胡萝卜丝、葱丝一起煸炒，然后加入精盐、味精、胡椒粉、香油翻炒均匀，制成馅料。

② 用油皮包裹油酥，擀成长方形，叠3层，再擀开，由上至下卷成筒状，用刀切成2厘米长的小段，竖起来，然后擀成圆形饼，包入馅料，封口处捏花边，下入油锅中炸至起酥、呈淡黄色即成。

油炸
咸香酥脆

烘烤
咸鲜微甜

水煮
香甜软糯

猪肉油酥饼

原料 油皮、油酥各1份，猪肉馅400克，鸡蛋1个，白芝麻适量。

调料 香葱、精盐、味精、白糖、料酒各适量。

制作步骤

① 油皮、油酥分别搓成长条，切成小块，用油皮包裹油酥，收口捏紧，擀成长形，再卷成圆筒，重复将圆筒擀成长形，再卷成圆筒，制成油酥皮。

② 香葱洗净，切末，放入碗中，加入猪肉馅、精盐、味精、白糖、料酒拌成馅料；鸡蛋打入碗中搅匀。

③ 将油酥皮擀开，分别包入馅料，收口朝下捏紧，表面刷一层蛋液，再沾上白芝麻，放入烤盘中，移入烤箱，以200℃烘烤约20分钟，即可取出装盘。

黑芝麻糊汤圆

原料 芝麻200克，糯米粉200克。

调料 砂糖适量。

制作步骤

① 芝麻放入锅中炒香、炒熟，用榨汁机搅拌成粉状；加入开水把糯米粉搅拌均匀，搓成汤丸。

② 用锅煮适量开水，倒入芝麻粉，搅拌成糊状。

③ 汤丸放入清水中煮熟，过冷后加入芝麻糊中续煮片刻，即可装碗。

锅烙
咸鲜清香

菠菜饼

原料 菠菜50克,鸡蛋2个,面粉150克,虾仁10克

调料 精盐1小匙,味精1/2小匙,熟猪油50克。

制作步骤

① 菠菜择洗干净,用沸水略焯,捞出后切成末。

② 鸡蛋打散,放入菠菜末、虾仁、精盐、味精和适量清水拌匀成厚面糊。

③ 炒锅上火烧热,加入少许熟猪油烧至七成热,再放入面糊,用手铲旋锅煽成圆饼。

④ 再用小火煎至一面呈淡黄色,淋入熟猪油,再煎另一面至呈淡黄色,取出即成。

锅蒸
鲜香绵软

香葱花卷

原料 面粉500克,酵母粉10克,香葱花250克。

调料 精盐、味精、胡椒粉、香油各少许。

制作步骤

① 将面粉加入清水、酵母粉调匀,揉成发面团,再用湿布盖严,稍饧。

② 将香葱花加入精盐、味精、胡椒粉及少许香油搅拌均匀。

③ 将发面团擀成长方形面片,刷上油,撒上拌好的葱花,对向折起,再刷油,撒葱花,用刀切成小条,反手方向拧上劲,呈花卷状,然后饧30分钟,上屉蒸5分钟,即可取出装盘。

烘烤
甜香软嫩

椒盐饼

原料 面粉1200克,芝麻仁100克。

调料 植物油50克,花椒盐100克。

制作步骤

① 面粉700克加温水和成面团,略饧;余下的面粉加入植物油搓成干油酥。

② 面团150克搓成条,揪成剂子,粘满椒盐做饼心。

③ 余下的面团搓成条,再擀成面片,将干油酥放在面片上,摊平后由上向下卷成卷,揪成小剂子。

④ 剂子按成锅底状,放上一块粘满椒盐的小面团,包严收口呈馒头状,按成圆形饼坯,再粘上芝麻仁,放在烤盘内送入烤箱烤熟,至呈金黄色时即成。

油煎
咸香脆嫩

土耳其馅饼

原料 面粉600克，牛肉馅500克，洋葱末200克，牛奶500毫升。

调料 葱末、姜末各50克，精盐、花椒粉各1小匙，味精、酱油、香油、植物油各1大匙。

制作步骤

① 面粉加入牛奶搅成块状，揉成面团，饧30分钟。

② 牛肉馅加入香油及冷水搅匀，再加入洋葱、葱、姜、酱油、精盐、味精、花椒粉、植物油拌成馅料。

③ 面团搓成条，下成面剂，擀成圆皮，包入馅料，再扯起面皮的一角，一个褶一个褶向前捏，捏到中间，留出小圆口，即可开口馅饼。

④ 馅饼放入平锅中，用小火煎至金黄，取出即成。

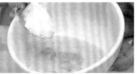 

三色糕

原料 熟面粉500克，鸡蛋10个，葡萄干25克，瓜子仁20克，青梅丝15克。

调料 白糖3大匙，豆沙馅250克，食用红色素3克。

制作步骤

① 鸡蛋清、鸡蛋黄分别磕在两个容器内，用打蛋器将蛋清抽打成蛋泡糊。

② 白糖放在蛋黄内抽打至白糖溶化，倒在蛋泡糊内，加入熟面粉搅匀。

③ 蒸糕的木框放在蒸锅内，铺上洁净的白布，倒入一半蛋糊，用旺火蒸熟。

④ 豆沙馅擀成同蒸糕同样大的厚片，放在木框内的蒸糕上。

⑤ 余下的蛋糊加入红色素搅匀，倒在豆沙馅上，摊平，撒上青梅丝、瓜子仁、葡萄干，再放入蒸锅内蒸熟，取出晾凉，切成长方块，装盘即成。

锅蒸
香甜松软

椒盐旋饼

原料 中筋面粉500克, 酵母粉10克。

调料 精盐、花椒粉各1大匙, 植物油适量。

制作步骤

❶ 将面粉300克加入酵母、清水揉成发面团; 面粉200克加热水揉成烫面团。

❷ 发面团与烫面团混合揉匀, 擀成面皮, 抹上油, 撒上花椒粉、精盐, 切成条, 由上至下卷起, 拉长, 从两侧盘圆, 叠成一束, 压扁, 成圆形面饼。

❸ 平锅加油烧热, 放入旋饼, 用小火煎至两面呈金黄色, 再加入清水, 盖上盖, 焖至水分收干, 打开盖, 再加油煎至两面酥脆, 出锅装盘即可。

韭香软饼

原料 面粉300克, 嫩韭菜150克。

调料 精盐2小匙, 味精少许, 植物油100克。

制作步骤

❶ 韭菜洗净, 切成小段; 面粉加入适量清水调散, 再加入韭菜段、精盐、味精调匀成浆状。

❷ 炒锅上火, 加入少许植物油烧至六成热, 舀入一勺面浆, 两手端锅旋转, 让浆汁从锅中心向外一圈一圈地流动成薄薄的一层。

❸ 然后放回火口上烙制, 第一面烙熟后再翻面烙, 两面烙熟, 取出即成。

桂花酥

原料 熟标准粉600克, 米稀20克, 桂花15克, 面肥、小苏打各少许。

调料 白糖200克, 植物油适量。

制作步骤

❶ 将白糖、植物油、米稀、桂花、面肥、小苏打放入盆中搅拌均匀, 再加入熟标准粉搅匀, 然后用开水烫成面絮, 揉搓均匀, 盖严湿布, 略饧。

❷ 将面团放在案板上揉匀, 擀成片, 再用模具压成直径约5厘米的圆形, 制成桂花酥生坯。

❸ 将烤盘上刷一层植物油, 放入生坯, 推入烤炉中, 以180℃烤至生坯鼓起、呈金黄色, 即可取出食用。

大元芝麻饼

原料 面粉280克，鸡蛋3个，芝麻75克。

调料 白糖、熟猪油各80克。

制作步骤

① 面粉内磕入2个鸡蛋，加入熟猪油、白糖及适量清水和成面团，略饧。

② 面团搓成长条，揪成每个50克的剂子，擀成圆饼坯，用模具在每个饼坯中心挖个圆洞。

③ 余下的鸡蛋磕入容器内搅散，用刷子刷在饼面上，撒上芝麻粘匀。

④ 金钱饼坯的芝麻面朝上放入烤盘内，入烤箱烤熟，取出装盘即成。

烘烤
香嫩绵软

烘烤
香甜酥脆

萝卜丝酥饼

原料 油酥、油皮各1份，白萝卜600克，虾米15克。

调料 葱末、姜末、精盐、香油各适量。

制作步骤

① 将油皮、油酥分别搓成长条，切成8小块，再将油酥包入油皮中，收口捏紧后，擀成长方形，然后卷成圆筒，擀成长方形，卷成圆筒，制成油酥皮。

② 将白萝卜去皮，洗净，刨成丝，加入精盐腌15分钟，挤干水分，再加入葱末、姜末、虾米及香油，调拌成馅。

③ 将油酥皮包入萝卜丝馅，收口捏紧朝下，排入烤盘中，放入烤箱中，以220℃烤约20分钟即可。

锅烙
鲜香软嫩

香煎肉饼

原料 面粉500克，猪肉末400克。

调料 精盐1小匙，味精1/2小匙，料酒2小匙，香油175克。

制作步骤

① 精盐1/5小匙放入容器内加水溶化，放入面粉，加温水和成面团揉匀，饧25分钟。

② 粉丝切碎，放入猪肉末内，加入调料调匀成馅。

③ 面团揪成剂子，擀成片，放入馅抹匀，从外向里卷成卷，两头折向中间，按紧翻过来，按扁成饼坯。

④ 饼坯放入平底锅内，刷上香油用小火烙5分钟，底面呈黄色时，翻过来，再刷上香油，继续煎烙至熟，出锅装盘即成。

锅蒸
香甜软嫩

金银花卷

原料 面粉400克，酵面100克，鸡蛋黄5克。

调料 食用碱2克，植物油1/2小匙。

制作步骤

① 面粉200克加酵面、温水和成面团发酵。

② 另将面粉200克加蛋黄及温水和成面团略饧。

③ 发好的酵面团加食用碱揉匀，擀成长形薄片，刷上一层植物油。

④ 和好的蛋黄面团也擀成大片，叠放在发酵面片上面，再刷上植物油，由外向里卷起，搓成细条。

⑤ 细条切成小段，刀口向上，两段合在一起，用筷子由中间夹一下，即成花卷坯，摆入蒸锅内，用旺火蒸15分钟至熟，取出即成。

上海五仁酥饼

原料 面粉500克，鸡蛋1个，核桃仁、花生仁、瓜子仁、白芝麻、松仁各25克。

调料 泡打粉、白糖、猪油、牛油各适量。

制作步骤

① 将面粉、猪油、牛油、鸡蛋液、泡打粉、白糖搅匀，揉成"油面团"；核桃仁、花生仁、瓜子仁、白芝麻、松仁拌在一起，调成"五仁料"。将"油面"和"五仁料"混合在一起，揉成面团。

② 将面团揉匀，搓成长条，每35克下一个剂子，压扁制成月牙形，两面刷匀蛋液。

③ 烤盘刷油，排入五仁饼，放入烤箱内，以200℃烘烤约18分钟，待呈金黄色时，取出装盘即可。

烘烤
香甜酥脆

七彩水晶饼

原　料　澄面、淀粉各500克，面粉150克，玉米粉、青、红果脯粒各100克，牛奶1000克，蛋液250克。

调　料　白糖300克，熟猪油2大匙，牛油100克。

制作步骤

① 将澄面、淀粉、熟猪油混合均匀，再倒入开水和匀，揉成面团。

② 将白糖、鸡蛋液、面粉、玉米粉、牛奶、牛油放入盆中搅匀，再上蒸锅蒸熟，放入打蛋桶中打成奶皇馅，然后加入青、红果脯粒拌匀，制成馅料。

③ 将面团搓条，每25克下一个面剂，压扁后包入15克奶皇果脯馅，再沾上少许面粉，放入模具中压成形，然后入蒸锅旺火蒸熟，即可装盘。

锅蒸
香甜软糯

枣泥米团

原　料　糯米粉500克，中筋面粉50克，枣泥馅300克，红果酱20克。

调　料　白糖3大匙，蜂蜜1大匙，精盐少许。

制作步骤

① 糯米粉100克入锅蒸熟；糯米粉400克和中筋面粉分别过细罗，放入容器内，加入沸水稍烫，再加入温水和成粉团，然后搓成条，下成面剂，擀成皮。

② 枣泥馅放碗中，加入白糖、蜂蜜和精盐调匀，团成圆球，用粉团薄皮包好，制成米团生坯，放入蒸锅蒸熟，取出，滚匀熟糯米粉，点缀上红果酱即可。

马拉糕

原　料　面粉700克，鸡蛋500克，发粉适量。

调　料　白糖500克，熟猪油200克。

制作步骤

① 面粉加入老酵面发酵，揉匀揉透，略饧片刻。

② 将白糖、蛋液搅至溶化，再放入熟猪油拌匀。

③ 将酵面加入白糖、鸡蛋液、熟猪油搅匀，再放入发粉拌匀成糊状。

④ 笼里放一方格，垫张油纸，把酵面糊倒入木格，上笼用旺火蒸透，取出冷却，切成长方形块，即可上桌食用。

锅蒸
香甜软糯

锅蒸
软嫩甜香

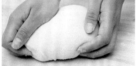

糯米煎圆

原料 干糯米粉、爆米花各500克，花生仁、芝麻仁各100克。

调料 白糖、红糖、饴糖、植物油各100克。

制作步骤

① 将150克干糯米粉用清水100克和成粉团煮熟，然后与余下的干糯米粉、白糖揉成面团。

② 将红糖、饴糖、清水放入锅中熬成浓汁，离火，再放入爆米花、花生仁拌成馅料，分成小团。

③ 将粉皮、馅料各分成10份，面皮包好馅料后擀成薄圆形，洒水后粘上芝麻仁，再放入加有植物油的平锅内用小火煎炸至两面呈金黄色即成。

蜜枣发糕

原料 中筋面粉500克，蜜枣100克，面肥180克。

调料 白糖120克，碱水适量。

制作步骤

① 将面肥放入盆中，加入适量清水调成面浆，再放入面粉和匀，发酵约2小时。

② 然后加入碱水、白糖揉匀，反复用力搓揉上劲，再放入铺有湿纱布的模具内，用湿布盖严，饧至面团膨胀起泡；蜜枣洗净，去核备用。

③ 将饧好的面团酿入蜜枣，连同纱布一起放入蒸笼中，盖严盖，上屉蒸30分钟，取出切块即可。

银丝蒸饼

原料 面粉1000克。

调料 精盐2小匙，植物油200克。

制作步骤

① 面粉加入精盐、清水和好成面团，略烫一下。

② 搓成长条，两端上下抖动，抻长，和拢上劲，再抻长，和拢上劲，连续反复多次，将面条抻好。

③ 将抻好的面条放在案板上，拧几个劲，撒点浮面，抻长对折成两根，左手握住面条两端面头，如此连续抻几次，制成银丝饼坯。

④ 大盘内刷上油，放入饼坯，按平，摆在盘内。用余下的剂头和在一起，擀成薄面皮，盖在上面，放入蒸锅内蒸熟，取出即成。

果仁豆沙甜饼

原料 澄面300克，豆沙馅200克，腰果100克，淀粉150克，朱古力彩针少许。

调料 白糖、熟猪油各适量。

制作步骤

1. 将澄面、淀粉、熟猪油、白糖用沸水烫熟和匀，饧约20分钟，每25克下一个面剂。

2. 将腰果下油炸熟，晾凉后碾碎，与豆沙馅、白糖、朱古力彩针和匀，每15克下一个馅剂待用。

3. 将面剂包入馅剂，压扁，封口朝下，捏出花边，上屉蒸5分钟即可。

锅蒸
香甜软糯

锅蒸
咸鲜软嫩

锅蒸
软糯香甜

象生金橘

原料 澄面300克，淀粉150克，豆沙馅200克。

调料 白糖2大匙，吉士粉50克，熟猪油2小匙。

制作步骤

1. 将澄面加入淀粉、白糖、猪油搅拌均匀，再用沸水烫透，然后加入吉士粉揉匀，制成面团。

2. 将面团搓成长条，每25克下一个面剂，压扁后包入豆沙馅，做成金橘形。

3. 再整齐地码放入蒸锅中，上火蒸约5分钟，取出装盘，即可食用。

蛋肉麦饼

原料 面粉500克，鸡蛋1个，猪肉150克。

调料 葱花、精盐、味精、料酒、酱油、熟猪油各适量。

制作步骤

1. 猪肉洗净，切末，加入酱油、味精、料酒拌匀。

2. 面粉内加入精盐、清水和成面团，揪成面剂，每个捏成窝形，放入葱花、肉末，收口捏拢，用手轻轻压平，擀成薄饼。

3. 锅中加油烧热，放入薄饼烙至八分熟，在饼边划个小口，用筷子插入饼内，将饼的两层分离。

4. 鸡蛋磕入碗内搅匀，徐徐注入饼内，然后反复翻动麦饼烙熟，取出即成。

枣泥麻圆

油炸 甜香软糯

原料 土豆280克，枣泥馅、白芝麻各120克，面粉60克。

调料 白糖50克，植物油800克。

制作步骤

❶ 土豆去皮，洗净，放入沸水锅内煮至熟透，捞入容器内，捣成细泥，加入白糖、面粉拌匀。

❷ 土豆泥分成大小均匀的剂子，包入枣泥馅，封口捏严团成圆球，滚匀白芝麻。

❸ 锅中加油烧至五成热，下入土豆球，用小火炸透捞出，装盘即成。

脆麻花

油炸 香甜酥脆

原料 面粉500克，发面团150克。

调料 白糖150克，食用碱、白矾各5克，植物油3大匙。

制作步骤

❶ 将白糖、白矾用油和适量温水充分搅拌溶化，再加入面粉揉成面团；将发面团加碱揉匀。上述两块面团合在一起，揉匀稍饧。

❷ 将面团揉好，切成48根剂条，搓成每50克2根的麻花，再下入热油中炸至熟透，见色泽金黄、酥脆，捞出沥油，装盘即可。

豆面糕

锅蒸 甜香软嫩

原料 粘黄米粉、豆沙馅各500克，黄豆100克，白芝麻、冰糖渣各25克，青梅10克。

调料 糖桂花5克，白糖150克。

制作步骤

❶ 粘黄米粉加水和成面团，放入蒸锅内蒸熟，取出后放入容器内，浇入开水100克，用木棍搅匀。

❷ 黄豆洗净，入锅炒至棕黄，碾面后过滤成粉。

❸ 芝麻入锅焙呈金黄色，擀压成碎末；青梅洗净，切成碎末，与白糖、冰糖渣、糖桂花拌匀成糖料。

❹ 熟豆面撒在案板上，取熟黄米面团放在上面揉匀，擀成大片，抹上豆沙馅摊平，卷成卷，再切成段，撒上糖料即成。

锅蒸
香甜绵软

特色豆沙包

原料 面粉500克，酵母粉10克，豆沙馅300克。
调料 桂花酱3大匙，香草粉少许，白糖150克。

制作步骤

① 将面粉加酵母粉、清水、50克白糖调匀，揉成发面团，再用湿布盖严、稍饧。

② 将豆沙馅加入香草粉、桂花酱、白糖搅拌均匀，制成馅料。

③ 将发面团搓成条状，每25克下一个面剂，擀成面饼，再包入豆沙馅，封口朝下，饧约30分钟，然后上屉蒸6分钟，即可取出装盘。

酿馅烧饼

原料 面粉500克，豆沙馅250克。
调料 食用红色素3克，熟猪油175克。

制作步骤

① 面粉250克用熟猪油125克搓成干油酥面；余下的面粉、熟猪油加入温水和成水油面。

② 用水油面皮包入油酥面，擀成大薄片，由上往下卷成卷，揪成10个大小均匀的剂子按扁，每个

剂子包入豆沙馅25克，按成圆饼坯。

③ 在饼坯上面用刀划成三角形，在三角形里面划4刀成米字形，深至见馅，在中间点上几点食用红色素，摆入烤盘入烤箱烤15分钟，取出即成。

烘烤
鲜香适口

驰名玉米烙

原料 玉米粒(罐头)150克，椰丝35克，香菜15克，垫盘纸1张。

调料 白糖、淀粉各2大匙，吉士粉、鹰粟粉、糯米粉各1大匙，植物油2000克(约耗50克)。

制作步骤

① 将玉米粒取出，洗净，装入盘中，加入吉士粉、鹰粟粉、淀粉、糯米粉拌匀，再沾上椰丝。

② 坐锅点火，留底油烧热，放入玉米粒摊成大圆饼，再用小火烙至起硬壳，取出待用。

③ 锅再上火，加油烧热，放入玉米饼炸至金黄酥脆，捞出沥油，切成三角块，再放入装有垫盘纸的盘中，用香菜点缀，跟白糖上桌蘸食即可。

糯米糍

原料 糯米粉500克，澄面100克，莲蓉馅200克，果脯粒适量。

调料 椰蓉200克，白糖100克，猪油3大匙。

制作步骤

① 将糯米粉加入白糖、清水调匀，揉成面团，稍饧；澄面用开水烫透，揉匀，加入糯米面团中，再加入猪油，揉至均匀有光泽，搓成条状。

② 每25克下1个面剂，压扁，包入莲蓉馅，搓成圆球状，摆入方盘中，上屉蒸6分钟至熟透，取出趁热滚上椰蓉，点缀上果脯，装盘即可。

叉烧酥饼

原料 熟芝麻、冬笋各150克，中筋面粉500克，叉烧肉250克，鸡蛋液适量。

调料 白糖、牛油、叉烧酱、熟猪油各适量。

制作步骤

① 将叉烧肉、冬笋分别洗涤整理干净，切成小片，加入叉烧酱和熟芝麻拌匀，制成馅料。

② 将面粉加入猪油和牛油调成油酥，放入冰箱冷冻15分钟；剩余的面粉加温水调和成面团，稍饧。

③ 将面团擀成皮，包入油酥，叠成蝴蝶折，再擀成长方形，用小碗作模，扣出圆形面饼，然后放入叉烧馅料，对折成半圆形，裹蛋液，沾芝麻，放入烤箱中烘烤约18分钟，取出装盘即可。

小米蜂糕

原料 小米面1000克，黄豆面500克。

调料 碱面1/2大匙，小苏打适量。

制作步骤

1 将小米面放入盆中，加入黄豆面、小苏打和碱面，用温水调和成稀面浆，稍饧片刻。

2 将笼屉内铺好屉布，倒入面浆抹平，用旺火足气蒸约20分钟至熟，晾凉后取出，切成方块，即可上桌食用。

锅蒸
绵软香甜

麻香开口笑

原料 白芝麻100克，低筋面粉500克，鸡蛋1个。

调料 白糖150克，饴糖100克，泡打粉10克，苏打粉少许，植物油2大匙。

制作步骤

1 将白糖、饴糖用清水调匀，加热溶化，晾凉后放入泡打粉、苏打粉、鸡蛋、植物油搅拌均匀，再加入低筋面粉揉成面团，稍饧片刻。

2 将面团搓条，每10克下一个面剂，用手搓成圆球，再将表面沾水，滚匀白芝麻，然后下入热油中炸至金黄色、开口，捞出沥油，装盘上桌即可。

油炸
麻香软嫩

烘烤
香甜软嫩

贾府小月饼

原料 高筋面粉150克，低筋面粉350克，鸡蛋黄200克，白莲蓉1000克。

调料 糖浆350克，碱水1小匙，植物油150克。

制作步骤

1 将高筋面粉和低筋面粉混合均匀，加入植物油、糖浆、碱水，搓匀揉透。

2 下成面剂，压扁成皮，再将白莲蓉每25克下一个馅剂，包入面皮中，封严收口，滚上干面粉，放入模具中压实，制成月饼生坯，放入烤盘中摆好。

3 将烤箱调到200℃，放入月饼生坯烤约3分钟取出，然后将蛋黄加水搅散调稀，刷在月饼生坯的表面，再放入烤箱中烘烤15分钟，取出即成。

油炸
甜香软糯

象生葫芦

原料 糯米粉500克,澄面80克,胡萝卜、豆沙馅各200克。

调料 白糖、猪油各100克,植物油1500克。

制作步骤

❶ 将胡萝卜去皮、洗净,切成小片,放入蒸锅蒸30分钟,取出碾成泥。

❷ 将糯米粉加入胡萝卜、白糖、猪油、澄面、清水调成面团,分别下成20克和10克的小剂子,压扁后包入豆沙馅,再将20克的生坯揉成圆形,10克的生坯揉成圆锥形,将两个生坯粘在一起成葫芦生坯。

❸ 锅中加油烧热,下入葫芦生坯炸呈金黄色,捞出沥油,即可出锅装盘。

麻香煎饼

原料 白芝麻、黑芝麻各50克,面粉100克,马蹄(罐头)1000克,玫瑰枣泥馅150克,鸡蛋2个。

调料 糖粉100克,猪油200克。

制作步骤

❶ 将马蹄取出,捣细成泥,包入洁净的白布中,挤干水分,再加入面粉拌和均匀,切成20个生坯。

❷ 将马蹄生坯放在手心上,按扁,包入玫瑰枣泥馅,收口成球形,略按扁,两面沾上鸡蛋清后一面沾白芝麻、一面沾黑芝麻待用。

❸ 坐锅点火,加入猪油烧热,逐个放入马蹄饼煎至两面熟透,待外层略脆、内馅热透后,取出装盘,撒上糖粉即可。

油煎
甜香脆嫩

花生蜜饯汤圆

原料 糯米粉500克，熟面粉、花生碎、蜜枣、海棠蜜饯各50克。

调料 白糖200克，猪油3大匙。

制作步骤

① 将糯米粉加人白糖100克，用开水烫透，再加人少许猪油调匀，揉成面团，用湿布盖严，稍饧。

② 将蜜枣、海棠蜜饯切成粒，与花生碎一起加人白糖100克、猪油、熟面粉搓匀，放人方盘内压实，再切成方块成馅料，放人冰箱中冷冻40分钟。

③ 将糯米面团搓成条，下成面剂，擀成圆饼，包人上述馅料，滚圆后，下入沸水中煮透，见全部膨胀、浮在水面时，捞出装碗，浇入原汤即可。

水煮
香甜软糯

炸桂花年糕

原料 糯米400克，籼米100克，桂花25克，玉米粉适量。

调料 白糖200克，玉米粉少许，猪油3大匙，植物油500克(约耗75克)。

制作步骤

① 将籼米、糯米淘洗干净，再加人清水磨成粉浆，装人布袋中压干水分，取出装碗，加人清水、白糖、桂花，用手搓匀，再放人猪油拌匀。

② 将方盘内刷油，放上粉团，上笼蒸熟，取出晾凉，切成长方块，撒上玉米粉拌匀成年糕生坯。

③ 放人热油中炸透，捞人盘中，撒上白糖即成。

油炸
软糯香甜

米面牛蹄卷

原料 小米面350克，面粉650克，红枣250克，面肥50克，食用碱10克。

调料 白糖适量。

制作步骤

① 将小米面、面粉混合在一起，取800克放人盆中，加人化开的面肥、白糖及清水和成面团，饧好；红枣洗净，用沸水煮至皮开，捞出。

② 将面团搓成条，下成剂子，擀成薄片，再切成短片，每片两头各放红枣1~2个，然后卷起成牛蹄状。

③ 将卷好的牛蹄卷摆在笼屉中，用旺火蒸25分钟至熟，即可取出食用。

锅蒸
香甜绵软

图书在版编目（CIP）数据

7天学会家常主食 / 夏金龙主编. -- 长春：吉林科学技术出版社，2012.4
　　ISBN 978-7-5384-5701-8

Ⅰ．①7… Ⅱ．①夏… Ⅲ．①主食－食谱 Ⅳ．①TS972.13

中国版本图书馆CIP数据核字(2012)第033064号

主　　编　夏金龙
出 版 人　张瑛琳
选题策划　车　强
责任编辑　张恩来　赵　渤
封面设计　长春创意广告图文制作有限责任公司
制　　版　长春创意广告图文制作有限责任公司
开　　本　720mm×1000mm　1/16
字　　数　300千字
印　　张　17
印　　数　1—30000册
版　　次　2012年5月第1版
印　　次　2012年5月第1次印刷
出　　版　吉林出版集团
　　　　　吉林科学技术出版社
发　　行　吉林科学技术出版社
地　　址　长春市人民大街4646号
邮　　编　130021
发行部电话/传真　0431-85677817　85635177　85651759
　　　　　　　　　　　　　　　85651628　85600611　85670016
储运部电话　0431-84612872
编辑部电话　0431-86037570
网　　址　www.jlstp.net
印　　刷　沈阳天择彩色广告印刷有限公司
书　　号　ISBN 978-7-5384-5701-8
定　　价　25.00元
如有印装质量问题可寄出版社调换